KB178177

미루기 습관 탈출

5초가 바꾸는 작은 습관
지금 시작하고
꾸준히 행동하라.

행동은 모든 성공의 가장 기초적인 핵심이다.
– 파블로 피카소 –

지은이 혜천(慧天) 이지해

왜 지금 시작해야 하는가?

변화를 이끌어내기 위해서는
미루는 습관을 극복하고
작은 행동부터 시작해야 합니다.
작은 씨앗을 심어
변화의 첫 단계를 시작하고,
효과적인 전략을 통해
실천에 옮기는 것이 중요합니다.
부지런한 행동이 변화를 이루는 데 있어
중요하며, 부지런함을 키워 변화를
이끌어낼 수 있습니다.

미루기 습관 탈출

5초가 바꾸는 작은 습관 지금 시작하고 꾸준히 행동하라.

발행: 2024년 05월 21일

지은이: 혜천(慧天) 이지해 (평강사임당)

편집: 최윤경 / **디자인:** 최윤경

펴낸이: 한건희

펴낸곳: 주식회사 부크크

출판사등록: 2014.07.15.(제2014-16호)

주 소: 서울특별시 금천구 가산디지털1로 119 SK트윈타워 A동 305호

전 화: 1670-8316

전자우편: info@bookk.co.kr

ISBN 979-11-410-8603-9

www.bookk.co.kr

차례

2장 올바른 결과는 충분한 준비에서 나온다

3장 변화는 부지런한 손에서 자라난다

4장 시간 관리와 스케줄링의 마법

5장 스트레스 관리와 대처법

미루기 습관 탈출: 5초가 바꾸는 작은 습관 지금 시작하고 꾸준히 행동하라.

이 책은

작은 습관이 어떻게 큰 변화를

이끌어내는지에 대한

통찰력을 제공합니다.

작은 습관의 변화가

우리의 삶을 바꾸고,

꾸준한 행동이 성공의 핵심이 됩니다.

지금 시작하여 끊임없이 나아가는 것이 중요합니다.

프롤로그 Prologue

우리 모두는 일상에서 자신을 개선하고자 하는 강력한 열망을 가지고 있습니다. 우리는 더 나은 버전의 자신을 만들고자 하는 꿈을 품고 있습니다. 이는 삶의 다양한 측면에서 성장하고, 더 나은 사람이 되고자 하는 욕망에서 비롯됩니다.

그러나 우리는 종종 이 강력한 열망을 실현하기 위한 구체적인 단계에 대해 모호함을 느낍니다. 또한, 이런 변화를 만들어내는 과정이 쉽지 않다고 느낄 때가 많습니다. 특히, 우리의 과거 습관과 행동 패턴이 새로운 변화를 만들어내는 데 큰 장애물이 될 수 있습니다.

본 책은 이러한 문제에 대한 해결책을 제시합니다. 우리의 습관과 행동 패턴을 극복하고, 새로운 행동과 습관을 통해 삶을 변화시키는 데 초점을 맞추어서 깊이 있게 다루고 있습니다. 우리는 종종 새로운 목표를 세우고, 그 목표를 향해 변화를 만들어내기 위한 강력한 의지를 가지고 있지만, 이를 실제 행동으로 옮기는 것이 쉽지 않습니다. 그 이유는 새로운 변화를 만들어내는 과정이 종종 불안감과 두려움을 동반하기 때문입니다.

하지만 이 책을 통해 우리는 이런 두려움과 불안감을 극복하고, 새로운 변화를 만들어내는 과정을 시작할 수 있습니다. 이 책은 작은 변화가 어떻게 큰 변화를 만들어내는지에 대한 방법을 제시합니다.

이 책에서 소개하는 다양한 전략과 원칙들은 일상 생활에서 도전과 어려움을 극복하는 데 도움이 될 것입니다. 이것들은 새로운 습관을 형성하고, 그 습관을 통해 삶을 변화시키는 데 필요한 도구들입니다.

그러니 이제 이 여정을 함께 시작해 보는 것은 어떨까요? 이 책을 통해 우리의 삶을 변화시키는 여정에 함께 참여하십시오. 여기서 가장 중요한 것은 서로 동행하는 것입니다. 우리가 만들어낼 변화에 대한 두려움과 불안감을 함께 극복하는 것입니다. 함께라면 가능합니다. 우리 모두가 함께 걸어가며, 서로에게 도움을 주고받으며, 자신의 삶을 변화시키는데 필요한 지속적인 지원을 받을 수 있습니다.

이 책을 통해 우리는 스스로의 삶을 변화시키는 데 필요한 도구와 전략을 배울 수 있습니다. 이제 우리의 이 여정을 시작해 봅시다. 우리의 여정은 그 자체로 가치가 있습니다. 이 책을 통해 우리는 새로운 변화를 만들어내는 데 필요한 도구와 전략을 배울 수 있습니다. 우리 모두가 함께 하면, 이 여정은 더욱 의미가 있고, 성공 가능성이 높아집니다. 이제 이 여정을 함께 시작해 봅시다.

2024년 05월 20일　혜천(慧天) 이지해

미루기 습관 탈출: 5초가 바꾸는 작은 습관 지금 시작하고 꾸준히 행동하라.

서문　시작의 중요성

이 책은 시작의 중요성과 새로운 기회를 이야기합니다. 시작이 두려울 수 있지만, 이 책은 어떻게 두려움을 극복하고 새로운 시작을 만드는 방법을 보여줍니다. 이 책을 읽어 더 나은 미래를 위한 새로운 시작을 함께 해봅시다!

시작의 중요성

시작은 모든 변화의 첫걸음입니다. 행동을 시작하는 것이 가장 중요하며, 이는 모든 변화를 만들어냅니다. 우리는 종종 "내일부터"라는 말로 일을 미룹니다. 그러나 "내일부터"는 대부분의 경우 "오늘부터"로 변하지 않습니다. 왜냐하면 시작하는 것은 어렵기 때문입니다. 하지만 아무리 작은 행동이라도 시작하지 않으면, 아무런 변화도 일어나지 않습니다. '5초의 법칙'은 바로 이를 극복하는 강력한 도구로, 어떤 행동을 하기로 결심한 순간부터 5초 안에 실행에 옮기도록 유도합니다.

이 책은 바로 그런 미루는 습관에서 벗어나, 행동을 취하는 사람이 되는 방법을 가르쳐줍니다. "올바른 결과는 충분한 준비에서 나온다."라는 말이 있습니다. 이 말은 미루는 습관을 극복하는 데에도 적용됩니다. 학생이 숙제를 미루는 것, 직장인이 중요한 업무를 미루는 것, 개인이 건강 관리를 미루는 것 등 모든 미루는 습관은 귀중한 시간을 낭비하게 만듭니다.

미루는 습관은 스트레스, 불안, 죄책감, 자존감 저하 등 여러 가지 부정적인 감정을 일으킵니다. 이러한 부정적인 감정들은 장기적으로 우리의 목표 달성에 큰 장애물이 됩니다. 학생이 시험 공부를 미루면, 그 결과 시험 성적이 좋지 않을 수 있고, 이는 학업성취도와 자신감에 부정적인 영향을 미칠 수 있습니다.

작은 행동이 큰 변화를 일으킬 수 있다는 사실은 이미 여러 연구에서 입증되었습니다. 하버드 대학의 연구에 따르면, 작은 목표를 설정하고 이를 지속적으로 실천하는 것이 큰 목표를 달성하는 데 매우 효과적이라는 것이 밝혀졌습니다. 작은 행동은 우리의 뇌가 변화를 수용하도록 도와주며, 이는 결국 큰 변화를 이끌어냅니다.

이 책에서는 이렇게 시작하는 법을 배우고, 미루는 습관을 극복하는 방법을 제시합니다. 그리고 이를 위해 구체적인 행동 계획을 세우고 실행하는 방법에 대해 안내합니다. 목표를 달성하기 위해서는 구체적인 행동 계획이 필요합니다.

미루는 습관의 부정적인 영향은 단지 개인적인 차원에 머무르지 않습니다. 미루는 습관은 직장 내에서도 큰 문제를 일으킵니다. 예를 들어, 팀 프로젝트에서 한 사람이 일을 미루면 전체 팀의 성과에 부정적인 영향을 미칠 수 있습니다. 이는 결국 조직의 성과와 수익성에도 영향을 미치게 됩니다.

이 책에서 우리는 왜 미루는 습관을 가지게 되는지, 그리고 이를 극복하는 방법에 대해 상세하게 설명합니다. 미루는 습관은 우리의 뇌에서 시작되며, 이를 이해하는 것은 습관을 바꾸는데 중요한 첫걸음입니다. 우리는 종종 우리의 문제와 도전을 다른 사람들과 공유함으로써, 우리는 서로를 돕고, 더 큰 목표를 달성할 수 있습니다.

그래서 이 책을 통해, 여러분은 미루는 습관을 이해하고, 이를 극복하는 방법을 배울 수 있습니다. 여러분은 또한 작은 변화를 통해 큰 변화를 이루는 방법, 그리고 이를 지속하는 방법을 배울 수 있습니다. 이는 여러분이 시작의 중요성을 이해하고, 행동을 취하는 사람이 되는 데 도움이 될 것입니다.

왜 지금 시작해야 하는가?

우리의 삶은 하루하루 많은 결정들로 이루어져 있습니다. 그 중에는 '오늘은 그냥 넘어가고, 내일부터 시작하자'라는 말을 되풀이하며 미루게 되는 일들이 간혹 있습니다. 그런데 왜 우리는 지금 바로 행동을 시작해야 할까요?

이는 단순히 일정 관리 또는 시간 관리의 문제가 아닙니다. 이것은 바로 우리의 삶의 질과 깊은 연관이 있는 문제입니다. 지금 이 순간 행동을 시작하지 않으면, 우리는 계속해서 같은 자리에 머물게 되며 삶의 질을 향상시키는 데 필요한 변화를 이루지 못하기 때문입니다. 변화는 지금 이 순간에 시작되어야 합니다.

즉각적인 실행의 힘: 5초의 법칙은 지금 바로 행동하는 것의 중요성을 보여주는 좋은 예입니다. 이 법칙에 따르면, 우리는 결정을 내린 후 5초 안에 그 결정을 실행에 옮겨야 합니다. 이렇게 하면 우리의 뇌는 변명을 찾거나 다른 생각에 흩어지는 시간을 갖지 못하게 됩니다. 이를 통해 작은 행동이라도 즉시 실행에 옮기는 습관이 형성되고, 이 습관은 우리의 삶에 큰 변화를 가져오게 됩니다. 예를 들어, 아침에 일어나자마자 알람이 울리고 5초 안에 바로 일어나는 습관을 들이면, 이것은 점차 일찍 일어나는 습관으로 이어질 수 있습니다.

시간의 소중함: 우리에게 주어진 가장 소중한 자원 중 하나는 바로 시간입니다. 한 번 지나간 시간은 다시 돌아오지 않습니다. 그러나 미루는 습관은 이 소중한 시간을 낭비하게 만듭니다. 지금 시작하지 않으면, 이로 인해 나중에 더 많은 시간과 에너지를

투자해야 할 수도 있습니다. 예를 들어, 지금 30분 동안 운동을 미루면, 이로 인해 건강 문제가 발생하여 나중에 더 많은 시간을 병원에서 보내야 할 수도 있습니다.

미루는 습관의 악순환: 미루는 습관은 악순환을 만들어냅니다. 한 번 미루기 시작하면, 그 일이 반복되어 더 큰 문제를 일으키게 됩니다. 작은 일이라도 미루기 시작하면, 그 일들이 쌓여 점차 큰 부담으로 다가오게 됩니다. 예를 들어, 작은 집안일을 미루다 보면, 나중에는 큰 청소를 해야 하는 상황이 될 수 있습니다.

즉각적인 성취감: 지금 바로 행동을 시작함으로써 우리는 작은 성취감을 느낄 수 있습니다. 이 작은 성취는 더 큰 동기를 부여하며, 이는 지속적인 행동으로 이어지게 됩니다. 예를 들어, 지금 바로 책 한 장을 읽기 시작하면, 금방 끝낼 수 있다는 성취감이 더 많은 독서를 하게 만들게 됩니다. 이러한 방식으로, 작은 행동이 큰 변화를 일으키는 원동력이 됩니다.

미루는 습관에서 벗어난 삶의 변화

첫 번째로 이야기하겠습니다. "미루는 습관에서 벗어난 삶의 변화"입니다. 미루는 습관을 극복하면 우리의 삶은 어떻게 변화할까요? 생각해보세요. 그것은 생산적이고 만족스러운 삶이 될 것입니다. 어떻게 그럴 수 있을까요? 그것에 대해 자세히 설명해드리겠습니다.

더 높은 생산성: 만약 우리가 미루는 습관을 극복한다면, 우리는 더 많은 일을 해낼 수 있습니다. 이는 단순히 '할 일을 다 하는

것'이 아니라, 시간을 더 효과적으로 활용하는 것을 의미합니다. 예를 들어, 직장에서 중요한 프로젝트를 미루지 않고 제시간에 완수하면, 그것은 더 많은 성과를 내는 것을 의미합니다. 그렇다면, 우리는 어떻게 보다 생산적으로 시간을 활용할 수 있을까요? 이것은 우리가 어떻게 우리의 시간을 관리하고, 우리의 에너지를 어디에 집중하는지에 달려 있습니다.

스트레스 감소: 또한, 미루는 습관은 스트레스를 증가시킵니다. 해야 할 일이 쌓이면, 그 압박감에 시달리게 됩니다. 그러나 제때 일을 처리하면 스트레스가 줄어들고, 우리는 더 여유롭게 일상을 보낼 수 있습니다. 이는 우리가 우리의 일상에서 스트레스를 줄이는 방법을 알아야 함을 의미합니다.

자신감 향상: 미루는 습관을 극복하면 자신감이 상승합니다. 작은 목표를 달성하면서 성취감을 느끼게 되고, 이는 자기 효능감을 높입니다. 자기 효능감이 높아지면 더 큰 도전에 나설 용기가 생깁니다. 예를 들어, 매일 10분씩 운동을 시작해 체력 향상을 느끼면, 더 긴 시간 운동을 시도해볼 수 있는 자신감이 생깁니다.

더 나은 인간관계: 또한, 미루는 습관은 인간관계에도 영향을 미칩니다. 약속을 지키지 않거나 중요한 일을 미루면 신뢰를 잃을 수 있습니다. 반면, 제때 일을 처리하고 약속을 지키면, 사람들로부터 신뢰를 얻게 됩니다. 예를 들어, 친구와의 약속 시간을 잘 지키면, 더 믿음직한 사람으로 여겨지게 됩니다.

개인적 성장: 끝으로, 미루는 습관을 극복하면 개인적인 성장을 이룰 수 있습니다. 새로운 도전을 두려워하지 않고, 끊임없이 자기

개발을 할 수 있게 됩니다. 이는 더 나은 자신을 만드는 데 중요한 역할을 합니다. 예를 들어, 새로운 기술을 배우기 위해 꾸준히 노력하면, 이는 직장 내에서의 역량 강화로 이어집니다.

이렇게 미루는 습관에서 벗어나면서 우리의 삶이 어떻게 변화하는지 이해하셨나요? 이제 다음 주제로 넘어가 보겠습니다.

이 책의 목표와 기대 효과

이 책은 여러분의 친구처럼, 미루는 습관을 극복하는 방법을 알려주려 합니다. 그 방법은 무엇일까요? 바로 작은 습관을 통해 꾸준히 행동하는 것입니다. 이제부터 구체적인 방법과 실천 가능한 전략, 성공 사례 등을 쉽게 이해할 수 있도록 설명해 보겠습니다.

구체적인 방법 제공: 이 책에서는 미루는 습관을 극복하기 위한 구체적인 방법을 제시합니다. '5초의 법칙'이라는 간단하면서도 강력한 기법을 소개합니다. 이 기법은 우리가 무엇인가를 하기로 결심하면, 그 결심을 5초 안에 실행에 옮기도록 유도하는 방법입니다. 이렇게 하면 머릿속에서 변명을 찾거나 다른 생각에 흩어지는 시간을 갖지 못하게 됩니다. 지금부터 시작하여 작은 목표를 설정하고 이를 달성하는 방법을 단계별로 설명하겠습니다.

실천 가능한 전략: 이 책은 이론만을 가르치지 않습니다. 여러분이 실제로 적용할 수 있는 구체적인 행동 계획을 제시합니다. 이는 일상생활에서 쉽게 따라할 수 있도록 구성되어 있습니다. 예를 들어, 하루 일과를 효율적으로 관리하는 방법을 소개하겠습니다.

성공 사례 소개: 여러분이 미루는 습관을 극복할 수 있다는 것을 보여주기 위해, 다양한 성공 사례를 소개합니다. 유명 인물들이 어떻게 미루는 습관을 극복했는지에 대한 이야기를 들려주며 여러분에게 동기부여를 제공하겠습니다.

꾸준한 행동의 중요성 강조: 이 책은 '작은 습관이 모여 큰 변화를 이끈다'는 사실을 강조합니다. 꾸준한 행동이 성공의 열쇠임을 이해하고, 이를 실천할 수 있도록 도와드립니다. 매일 작은 목표를 달성함으로써 큰 성취를 이룰 수 있는 방법을 설명하겠습니다.

삶의 질 향상: 미루는 습관을 극복하면, 단순히 생산성 향상뿐만 아니라 삶의 질 자체가 향상됩니다. 스트레스를 줄이고, 더 많은 성취감을 느끼며, 자신감 있는 삶을 살 수 있게 됩니다. 이 책을 통해 여러분은 미루는 습관을 이해하고, 이를 극복하는 방법을 배울 수 있습니다. 여러분은 또한 작은 변화를 통해 큰 변화를 이루는 방법, 그리고 이를 지속하는 방법을 배울 수 있습니다. 이는 여러분이 시작의 중요성을 이해하고, 행동을 취하는 사람이 되는 데 도움이 될 것입니다.

'5초의 법칙', '작은 목표 설정', '실천 가능한 행동 계획', '성공 사례', '꾸준한 행동의 중요성' 등을 통해 여러분은 미루는 습관을 극복하고, 작은 습관을 통해 꾸준히 행동할 수 있게 될 것입니다. 이 책을 통해, 여러분은 미루는 습관을 이해하고, 이를 극복하는 방법을 배울 수 있습니다. 여러분은 또한 작은 변화를 통해 큰 변화를 이루는 방법, 그리고 이를 지속하는 방법을 배울 수 있습니다. 이는 여러분이 시작의 중요성을 이해하고, 행동을 취하는 사람이 되는 데 도움이 될 것입니다.

변화의 첫 걸음

이 책을 통해 여러분은 미루는 습관을 극복하는 법을 배울 수 있습니다. 하지만 중요한 것은 이것이 여러분의 삶에 어떤 변화를 가져올 수 있는지를 이해하는 것입니다. 작은 행동들이 쌓여 결국은 큰 변화와 성공으로 이어질 수 있습니다.

지금 바로 여러분의 인생을 바꿀 수 있는 기회가 온 것입니다. 이 순간부터 시작해봅시다. 어떠한 변화도 행동에서 시작됩니다. 행동이 없다면, 변화도 없습니다. 그러니 이 책을 통해 행동하는 방법을 배워보세요. 이 책은 여러분이 행동으로 변화를 만들어가는 길을 안내해줄 것입니다.

"지금 당장, 첫 걸음을 내디디며 미루는 습관을 탈출하고, 꾸준한 행동을 통해 성공의 길로 나아가 봅시다"

이런 말이 있죠. '작은 것이 모인다면 큰 것이 된다.' 이 말처럼, 작은 행동 하나하나가 모여 큰 변화를 만들어갑니다. 그 속에서 여러분은 성공의 도약대를 만들어나갈 것입니다.

이 변화의 과정은 쉽지 않을 수 있습니다. 하지만 그럼에도 불구하고 우리는 도전해야 합니다. 그 이유는 무엇일까요? 그것은 바로 우리의 삶의 질을 향상시키기 위해서입니다.

우리의 삶은 매일매일의 선택과 결정으로 이루어져 있습니다. 그 중에는 '오늘은 그냥 넘어가고, 내일부터 시작하자'라는 말을 되풀이하며 미루게 되는 일들이 간혹 있습니다. 하지만 그런 선택과 결정이 바로 우리의 삶의 질에 큰 영향을 미칩니다. 그래서 변화는 지금 이 순간에 시작되어야 합니다.

단순히 일정 관리 또는 시간 관리의 문제가 아닙니다. 이것은 바로 우리의 삶의 질과 깊은 연관이 있는 문제입니다. 지금 시작하지 않으면, 우리는 계속해서 같은 자리에 머무르게 되며 삶의 질을 향상시키는 데 필요한 변화를 이루지 못하기 때문입니다.

이제 여러분은 변화의 첫 걸음을 내딛을 준비가 되셨나요? 그렇다면, 첫 장을 넘기며 변화의 여정을 시작해봅시다. 이 책이 여러분의 길잡이가 되어 줄 것입니다.

제 1 장

지피지기 백전불태 (知彼知己 百戰不殆): 나를 바로 알자

이 장에서는 "나를 알아보자"를 주제로, 자신을 이해하고 장단점을 알아내면 변화를 이끌 수 있다고 강조합니다. 현재 상황과 목표의 차이를 이해하고 작은 변화가 큰 차이를 만들 수 있음을 설명하며, 독자들이 자신을 이해하고 변화를 시작하는 방법을 배울 수 있습니다.

1. 습관의 원칙과 변화

습관이라는 나무: 그 뿌리와 가지

습관은 나무와 같습니다. 나무의 성장과 생명력을 지탱하는 뿌리가 있듯이, 우리의 행동과 성취를 이끌어내는 습관의 뿌리가 있습니다. 이 뿌리는 우리 눈에 보이지 않지만, 매일 우리의 삶을 이끌어 나갑니다.

이러한 습관의 뿌리를 이해하려면, 습관이 어떻게 형성되는지 알아야 합니다. 심리학자들은 습관을 형성하는 세 가지 주요 요소를 말합니다. 그것은 바로 신호(Trigger), 반복되는 행동(Routine), 그리고 보상(Reward)입니다.

신호란 습관을 촉발하는 특정 사건이나 상황을 의미합니다. 이는 특정 시간대, 장소, 감정 상태 등이 될 수 있습니다. 예를 들어, 아침에 일어나면 커피를 마시는 습관이 있다면, '아침에 일어나는 것'이 신호가 됩니다. 이러한 신호를 인식하는 것이 습관 형성의 첫 단계입니다.

다음으로 반복되는 행동은 신호가 나타났을 때 우리가 자동적으로 수행하는 행동입니다. 이는 습관의 중심 부분으로, 우리가 반복해서 행하는 행동입니다. 예를 들어, 아침에 커피를 마시는 것은 '반복되는 행동'입니다. 이러한 행동은 신호에 의해 촉발되고, 보상을 기대하며 수행됩니다.

마지막으로 보상은 습관을 강화하는 요소로, 행동을 마친 후 얻는 만족감이나 긍정적인 결과를 말합니다. 이는 우리의 뇌가 해당 행동을 계속 반복하도록 유도하는 요소입니다. 아침에 커피를 마신 후 느끼는 상쾌함이나 집중력 향상은 보상에 해당합니다.

나무의 뿌리가 튼튼해야 가지가 잘 자라는 것처럼, 습관의 뿌리도 튼튼해야 건강하게 자랄 수 있습니다. 그래서 습관의 신호, 반복되는 행동, 보상을 잘 이해하고, 이를 긍정적으로 변화시키는 것이 중요합니다. 이렇게 하면 우리의 습관은 건강하게 자라며, 우리의 삶을 더욱 풍요롭게 만들어 줄 것입니다.

작은 변화가 만드는 큰 차이

작은 변화가 큰 차이를 만들어 줄 수 있습니다. 그것은 일상의 작은 습관의 변화가 장기적으로 우리의 삶에 큰 영향을 미칠 수 있음을 의미합니다. 이러한 작은 변화는 우리의 뇌가 쉽게 수용할 수 있습니다. 그리고 이는 꾸준한 행동으로 이어질 수 있습니다.

'하루에 10분씩 운동하기'라는 작은 목표는 쉽게 달성할 수 있습니다. 이로 인해 성공 경험을 자주 맛볼 수 있고, 이는 우리의 자신감을 높이며, 더 큰 목표에 도전할 용기를 줍니다. 예를 들면, 이 작은 목표를 꾸준히 실천하는 과정에서 자신감이 생기면, 점차 더 긴 시간 동안 운동을 시도할 수 있게 됩니다.

작은 변화를 꾸준히 실천하는 것은 '물방울이 바위를 뚫는 것'과 같습니다. 한 번의 큰 변화보다는 작은 변화를 지속적으로 실천하는 것이 더 큰 효과를 가져옵니다. 예를 들어, 매일 10분씩 책을 읽는다면, 이는 장기적으로 많은 책을 읽게 되는 결과를 가져올 것입니다. 이로 인해 우리의 지식은 쌓여갈 것이며, 이는 우리에게 큰 도움이 될 것입니다.

작은 변화를 통해 매일 1%씩 나아가면, 1년 후에는 37배의 성장을 이룰 수 있다고 제임스 클리어는 그의 책 "Atomic Habits"에서 말합니다. 이는 작은 변화가 쌓여 큰 차이를 만들 수 있음을 잘 보여줍니다.

작은 변화는 미루는 습관을 극복하는 데도 큰 도움이 됩니다. 작은 목표를 설정하고 이를 실천하는 과정에서 우리는 미루지 않고 행동하는 습관을 들일 수 있습니다. 예를 들어, 하루에 5분씩만 중요한 업무를 시작해보면, 점차 그 시간을 늘려나가며 미루는 습관을 극복할 수 있습니다.

예를 들어 건강 관리를 위한 작은 변화로는, 하루에 물 1컵 더 마시기, 계단을 이용하기, 점심 식사 후 산책하기 등이 있습니다. 이러한 작은 변화는 장기적으로 우리의 건강을 크게 개선할 수 있습니다. 이렇게 작은 변화가 쌓여 큰 건강 개선으로 이어질 수 있습니다.

시간 관리를 위한 작은 변화로는 하루 일과를 미리 계획하기, 중요한 일 먼저 처리하기, 휴식 시간을 정해놓기 등이 있습니다. 이러한 작은 변화는 우리의 생산성을 높이고, 시간을 더 효율적으로 사용할 수 있게 합니다. 이로 인해 작은 변화가 큰 생산성 향상을 가져올 수 있습니다.

결론적으로, 작은 변화는 우리의 삶에 큰 영향을 미칠 수 있습니다. 작은 목표를 설정하고, 이를 꾸준히 실천하는 것이 중요합니다. 이를 통해 우리는 더 나은 삶을 살 수 있으며, 미루는 습관을 극복하고, 꾸준한 행동을 통해 성공을 이룰 수 있습니다. 작은 변화가 만드는 큰 차이를 경험해보세요. 작은 행동이 모여 큰 변화를 이끌어냅니다.

2. 꾸물거림의 심리적 근원

마음의 그림자: 미루는 습관의 심리적 원인

미루는 습관을 이해하려면 그 원인을 알아야 합니다. 이러한 원인들은 다양하지만, 주요한 원인들로는 불안과 두려움, 완벽주의, 동기 부족, 기대와 현실의 차이, 그리고 습관의 형성 등이 있습니다.

불안과 두려움은 우리가 일을 미루게 하는 가장 큰 원인 중 하나입니다. 예를 들어, "만약 내가 실패하면 어떻게 될까?"라는 생각은 우리를 행동하지 못하게 만듭니다. 특히, 중요한 프레젠테이션을 앞두고 실패할까 봐 두려워서 준비를 미루는 경우가 이에 해당합니다. 이러한 두려움은 일을 시작하는 것을 어렵게 만드는 큰 장애물입니다.

완벽주의도 미루는 습관을 만드는 큰 요인입니다. "지금 시작하기엔 준비가 부족하다"라는 생각이 든다면, 그것은 완벽주의의 한 형태일 수 있습니다. 완벽주의자는 무한정 준비만 하다가 실제 행동을 미루게 됩니다. 이런 경우, 작가가 모든 문장이 완벽하게 나오지 않으면 아예 쓰기를 시작하지 않는 것이 좋은 예입니다.

동기 부족 역시 미루는 습관의 원인 중 하나입니다. "왜 이 일을 해야 하지?"라는 질문에 대한 명확한 답이 없다면, 우리는 그 일을 미루게 될 확률이 높습니다. 이는 학생이 시험 공부를 미루는 이유 중 하나입니다. 시험을 통해 얻는 이득이 명확하지 않다면, 그 학생은 공부를 미루게 될 것입니다.

기대와 현실의 차이도 미루는 습관을 만드는 요인입니다. 우리가 어떤 일을 시작하기 전에 그 일에 대해 높은 기대를 가지고 있을 때, 실제로 그 일을 시작했을 때의 현실이 기대에 못 미치면, 우리는 그 일을 미루게 됩니다. 이런 경우, 새로운 프로젝트를 시작하기 전에는 큰 성과를 기대하지만, 실제로 시작해 보니 예상보다 어려운 경우가 좋은 예입니다.

마지막으로, 습관의 형성도 미루는 습관을 만듭니다. 반복적인 미루기는 뇌의 보상 시스템을 자극하여, 미루는 행동이 습관으로 굳어지게 만듭니다. 이는 마치 도박이나 쇼핑 중독과 같은 원리로, 순간적인 만족감이 우리를 미루는 습관으로 이끌어갑니다. 작은 일을 미루다가 그것이 반복되어 점차 모든 일을 미루는 습관이 되는 경우가 이에 해당합니다.

이처럼 미루는 습관에는 다양한 심리적 원인이 있습니다. 이들을 이해하고 이를 극복하는 것이 미루는 습관을 극복하는 첫걸음입니다.

내면의 거울: 스스로를 돌아보기

미루는 습관을 극복하려면 먼저 자신의 내면을 깊이 들여다보는 것이 중요합니다. 다소 불편할 수 있지만, 이 과정을 통해 자신이 왜 일을 미루는지, 그리고 무엇이 자신을 미루게 만드는지를 파악할 수 있습니다. 이를 통해 스스로를 이해하고, 더 나은 변화를 위한 첫걸음을 내딛을 수 있습니다.

첫 번째로, 습관을 이해하려면 그것이 어떻게 형성되는지를 알아야 합니다. 말하자면, 습관은 '나무'와 같습니다. 나무가 뿌리에서 영양을 받아 자라는 것처럼, 습관도 그 뿌리를 통해 우리의 행동과 생활을 이끌어 갑니다. 이 뿌리는 눈에 보이지 않지만, 매일매일 우리의 삶을 지배합니다.

하지만 걱정하지 마세요. 습관의 뿌리를 알아내는 것은 어렵지 않습니다. 심리학자들은 습관을 형성하는 세 가지 주요 요소를 말합니다. 그것은 바로 '신호', '반복되는 행동', 그리고 '보상'입니다.

'신호'란 습관을 촉발하는 특정 사건이나 상황을 의미합니다. 예를 들어, 매일 아침 일어나서 커피를 마시는 습관이 있다면, '아침에 일어나는 것'이 그 신호가 됩니다. 이 신호를 알아차리는 것이 습관을 바꾸는 첫 단계입니다.

다음으로 '반복되는 행동'은 신호가 나타났을 때 우리가 자동적으로 수행하는 행동입니다. 그것은 습관의 핵심 부분으로, 우리가 익숙해져서 반복해 수행하는 행동입니다. 예컨대, 아침에 일어나 커피를 마시는 것이 바로 '반복되는 행동'입니다.

마지막으로 '보상'은 습관을 강화하는 요소로, 행동을 마친 후 얻는 만족감이나 긍정적인 결과를 말합니다. 이 보상이 뇌를 자극하여 우리가 해당 행동을 계속 반복하게 만듭니다. 아침에 일어나 커피를 마신 후 느끼는 기분 좋음이 바로 그 '보상'입니다.

이 세 가지 요소를 잘 이해하고 이를 적용한다면, 우리는 습관의 뿌리를 바꿀 수 있습니다. 그러면 습관은 건강하게 자라 우리의 삶을 풍요롭게 만들어 줄 것입니다.

이어서, 심리적 원인을 이해하는 것도 미루는 습관을 극복하는데 중요합니다. 불안과 두려움, 완벽주의, 동기 부족, 기대와 현실의 차이 등이 미루는 습관의 주요 심리적 원인이 될 수 있습니다. 이러한 원인들을 이해하고 극복하는 것이 중요합니다.

마지막으로, 작은 변화가 만드는 큰 차이를 기억해야 합니다. 하루에 10분씩 운동하기, 매일 아침 일찍 일어나기 등 작은 목표를 세우고 이를 실천하는 것이 중요합니다. 이렇게 작은 변화를 꾸준히 실천하는 것이 미루는 습관을 극복하는 데 큰 도움이 됩니다.

결론적으로, 자신을 돌아보는 것은 미루는 습관을 극복하는 데 중요한 단계입니다. 자신의 행동과 생각을 이해하고, 이를 바꾸는 것이 중요합니다. 이렇게 하면, 우리는 미루는 습관을 극복하고, 더 나은 삶을 살 수 있습니다. 자신을 돌아보고, 작은 변화를 실천해보세요. 분명 큰 변화를 이룰 수 있을 것입니다.

3. 미루는 습관의 형성과정

미루는 습관의 씨앗: 형성 배경과 성장

미루는 습관, 누구나 한 번 쯤 겪어본 경험이겠죠. 그런데 왜 우리는 일을 미루게 될까요? 이를 이해하려면 미루는 습관의 근원을 알아볼 필요가 있습니다.

우리의 습관은 우리가 태어날 때부터 가지고 있는 것이 아니라, 우리의 삶의 경험과 환경에 의해 형성됩니다. 이러한 습관이 형성되는 과정은 복잡하며, 다양한 요인이 작용합니다. 이제부터는 이러한 요인들을 하나씩 살펴보도록 하겠습니다.

첫 번째로, 가족과 교육 환경이 미루는 습관에 큰 영향을 미칩니다. 부모님의 행동 패턴, 교육 방법, 그리고 가정 내에서의 규칙은 자녀에게 큰 영향을 미칩니다. 부모님께서 꾸준함과 계획성을 강조하고, 이를 직접 실천하는 모습을 보이면 자녀도 자연스럽게 이를 배우게 됩니다. 그러나 부모님이 일상적으로 일을 미루거나, 일관성이 없는 모습을 보이면 자녀는 미루는 습관을 배우게 됩니다.

학교에서의 과제, 시험, 프로젝트 등은 학생들에게 시간 관리와 계획성을 가르치는 중요한 기회가 될 수 있습니다. 그러나 과도한 과제나 비현실적인 기대는 오히려 학생들이 스트레스를 받게 하고, 이를 미루는 습관으로 이어질 수 있습니다.

두 번째로, 사회적 환경과 문화도 미루는 습관에 영향을 미칩니다. 현대 사회에서는 빠른 성과와 즉각적인 만족을 중시하는 경향이 있습니다. 이러한 문화는 사람들이 장기적인 목표보다는 단기적인 만족을 추구하게 만들고, 이를 통해 미루는 습관이 형성될 수 있습니다. 사회적으로 성공과 성취에 대한 압력이 큰 경우, 우리는 실패에 대한 두려움 때문에 일을 미루게 됩니다.

세 번째로, 개인적인 경험과 성격도 미루는 습관 형성에 중요한 영향을 미칩니다. 과거의 실패 경험, 낮은 자존감, 불안감 등은 미루는 습관을 강화시킬 수 있습니다. 성격적으로도 미루는 습관에 영향을 미치는 요소들이 있습니다. 완벽주의 성향이 강한 사람들은 모든 일을 완벽하게 해내야 한다는 압박감 때문에 일을 시작하지 못하고 미루게 됩니다.

마지막으로, 뇌의 보상 시스템과 미루는 습관은 밀접한 관련이 있습니다. 우리의 뇌는 즉각적인 보상을 선호하며, 이는 우리가 당장의 만족을 추구하게 만듭니다. 미루는 행동은 일시적으로 스트레스와 불안을 줄여주는 효과가 있어, 우리의 뇌는 이를 긍정적으로 받아들입니다. 그러나 이러한 즉각적인 보상은 장기적으로 우리에게 부정적인 영향을 미칩니다.

반복되는 패턴: 왜 우리는 계속 미루는가

미루는 습관, 우리 모두 한번쯤 겪어본 경험일 것입니다. "나중에 할게", "아직 시간 많아"라는 말로 시작된 습관이 지속되다 보면, 우리는 스스로를 '미루는 사람'이라고 정의하게 됩니다. 이 습관은 어떻게 형성되는 걸까요? 왜 우리는 계속해서 미루게 될까요?

미루는 습관이 형성되는 과정은 자동화된 행동입니다. 우리가 특정 행동을 반복하면, 그 행동은 점점 자동화되어 우리의 의식적인 노력 없이도 실행됩니다. 이는 우리의 뇌가 에너지를 절약하기 위한 방법 중 하나죠. 예를 들어, 아침에 일어나면 커피를 마시는 습관이 있다면, 우리는 생각하지 않아도 자동적으로 커피를 마시게 됩니다. 미루는 습관도 마찬가지로, 일을 시작하기보다 미루는 것이 더 편하고 익숙해져 버린 상태입니다.

하지만 이런 습관은 부정적 강화를 통해 강화되기도 합니다. 일을 미룰 경우, 일시적으로 스트레스나 불안감을 피할 수 있습니다. 이로 인해 뇌는 미루는 행동을 긍정적으로 인식하고, 우리는 계속해서 일을 미루게 됩니다. 예를 들어, 공부를 해야하지만 게임을 하면서 스트레스를 해소하는 경우, 우리 뇌는 이를 '보상'으로 인식하게 됩니다.

이렇게 되면 미루는 습관은 자기 충족 예언의 형태로 나타나게 됩니다. "나는 항상 일을 미루는 사람이야"라는 생각이 있으면, 실제로 그런 행동을 하게 됩니다. 이런 상태에서는 스스로를 바꾸는 것이 매우 어렵습니다. 이를 극복하기 위해서는 의식적인 노력과 꾸준한 실천이 필요합니다.

"나는 미루는 사람이야"라는 생각을 바꾸고, "나는 지금부터 할 수 있는 사람이야"라는 생각으로 스스로를 재정의해야 합니다. 그리고 이를 실천하기 위해 작은 목표를 세우고, 하루에 하나씩 그 목표를 달성하는 것이 중요합니다. 이렇게 하면, 미루는 습관을 극복하고, 새로운 습관을 형성할 수 있습니다.

작은 변화가 만드는 큰 차이를 경험해보세요. 작은 행동이 모여 큰 변화를 이끌어냅니다. 우리 모두가 미루는 습관을 극복하고, 더 나은 삶을 살 수 있길 바랍니다.

4. 가짜 이득과 진짜 불이익

눈앞의 사탕: 당장의 만족과 장기적 손해

"일을 미루는 습관, 당신도 가지고 있나요? 이것은 '눈앞의 사탕'에 빠진 것일 수 있습니다. 눈앞의 작은 만족을 위해 장기적인 목표를 희생하는 건데요, 이를 이해하는 것은 미루는 습관을 극복하는 데 중요한 첫걸음입니다.

일을 미루는 행동은 우리에게 즉각적인 만족을 제공합니다. 예를 들어, 중요한 일을 미루고 TV를 시청하거나 소셜 미디어를 즐기는 것은 즉각적인 즐거움을 주지만, 이는 단기적인 만족에 불과합니다.

당장의 즐거움을 위해 중요한 일을 미루는 순간, 우리는 미래의 자신을 위험에 빠뜨리게 됩니다.

미루는 습관은 장기적으로 큰 손해를 초래합니다. 일을 미루게 되면 해야 할 일을 제때 완료하지 못하고, 이는 결국 더 큰 스트레스와 압박감을 초래합니다. 예를 들어, 중요한 프로젝트를 미루면 마감일이 다가올수록 압박감이 커지고, 결국 마감일 직전에 모든 일을 처리해야 하는 상황에 직면하게 됩니다.

미루는 습관은 성취감을 상실하게 만듭니다. 일을 제때 완료하고 성취하는 경험은 우리의 자신감을 높이고, 더 큰 도전을 향한 동기를 부여합니다. 반면, 일을 미루고 마감일 직전에 급하게 처리하면 성취감을 느끼기 어렵습니다. 이런 경험은 우리의 자기 효능감을 낮추고, 장기적으로 미루는 습관을 강화합니다.

미루는 습관을 극복하기 위해서는 장기적 목표와 단기적 보상의 균형을 맞추는 것이 중요합니다. 장기적 목표를 달성하기 위해서는 즉각적인 만족을 조금씩 줄이고, 장기적 보상을 기대하며 행동해야 합니다. 작은 노력이 쌓여 큰 변화를 가져올 수 있습니다.

건강 관리를 미루는 경우, 당장은 편안하고 즐거울 수 있지만, 장기적으로는 건강에 큰 손해를 초래합니다. 예를 들어, 운동을 미루고 대신 TV를 시청하는 것은 당장의 만족을 제공하지만, 이는 장기적으로 체력 저하와 건강 문제를 초래할 수 있습니다. 정기적인 운동과 건강한 식습관을 유지하지 않으면 비만, 당뇨병, 심장 질환 등 여러 건강 문제에 노출될 수 있습니다.

학업과 업무에서도 미루는 습관은 큰 손해를 초래합니다. 예를 들어, 학생이 시험 공부를 미루면 마지막 순간에 벼락치기를 해야 하고, 이는 충분한 학습과 이해를 방해합니다. 직장에서 중요한 업무를 미루면 마감일에 맞추기 위해 과도한 업무를 처리해야 하고, 이는 생산성과 업무 만족도를 떨어뜨립니다.

미루는 습관은 당장의 즐거움을 위해 장기적인 목표를 희생하는 것입니다. 하지만 이는 결국 더 큰 손해를 초래합니다. 장기적인 목표와 단기적인 보상 사이의 균형을 찾아, 미루는 습관을 극복하는 것이 중요합니다. 작은 노력이 쌓여 큰 변화를 가져올 수 있습니다.

장기적 시야: 진짜 중요한 것을 보라

우리의 일상 속에서는 종종 당장의 만족에 집중하며 장기적인 목표를 잊어버리는 경향이 있습니다. 그러나 진정한 성공과 성취는 장기적인 목표를 향한 꾸준한 노력에서 비롯됩니다. 장기적인 시야를 가지고 목표를 설정하고, 꾸준히 실천하는 것이 중요합니다. 이를 실현하기 위한 방법 중 하나로 작은 목표를 설정하고 이를 실천하는 것이 있습니다.

먼저, 장기적인 목표의 중요성에 대해 알아보겠습니다. 장기적인 목표는 우리가 어떤 방향으로 나아가야 할지를 명확하게 보여줍니다. 그리고 이 목표를 향해 갈 때마다 우리는 작은 성취를 느끼고, 이는 우리의 성장을 도와줍니다. 예를 들어, 5년 후에 원하는 직업을 갖기 위해 필요한 스킬을 개발하는 것은 장기적인 목표 설정의 한 예입니다. 이 목표를 달성하기 위해 우리는 매일매일 작은 목표를 설정하고 이를 달성해 나갑니다.

다음으로, 단기적인 목표와 장기적인 목표의 연계에 대해 알아보겠습니다. 장기적인 목표를 달성하기 위해 단기적인 목표를 설정하는 것이 중요합니다. 단기적인 목표는 장기적인 목표를 향한 작은 걸음이며, 이를 통해 우리는 꾸준히 나아갈 수 있습니다. 예를 들어, 매일 30분씩 독서를 하는 단기적 목표는 장기적으로 지식을 쌓고 자기 계발을 하는 데 도움이 됩니다. 이러한 작은 목표들이 쌓여 큰 성취를 이루게 됩니다.

그렇다면, 어떻게 미루는 습관을 극복하고 이러한 목표를 실천할 수 있을까요? 꾸준한 행동을 통해 성공을 이루기 위한 몇 가지 방법을 제시하겠습니다.

작은 목표 설정: 장기적 목표를 작은 목표로 나누어 실천하기 쉽게 만듭니다. 예를 들어, 하루에 10분씩 운동을 시작하는 것입니다.

즉각적인 보상 제공: 작은 목표를 달성할 때마다 자신에게 작은 보상을 제공합니다. 이는 동기 부여를 높이는 데 도움이 됩니다. 예를 들어, 운동을 마친 후 자신에게 좋아하는 간식을 주는 것입니다.

목표 시각화: 장기적인 목표를 시각화하여 항상 기억할 수 있도록 합니다. 예를 들어, 목표를 다이어그램이나 그림으로 그려 눈에 잘 보이는 곳에 두는 것입니다.

자기 반성: 매일 저녁 자기 반성의 시간을 가지며, 하루 동안의 행동을 돌아보고 무엇을 개선할 수 있을지 생각합니다. 이를 통해 꾸준한 개선이 가능합니다.

긍정적인 자기 대화: 자신에게 긍정적인 말을 걸어 동기 부여를 유지합니다. 예를 들어, "나는 할 수 있어", "지금 시작해보자"와 같은 말을 자신에게 하는 것입니다.

지원 시스템 구축: 친구나 가족과 함께 목표를 공유하고, 서로를 격려하며 지원합니다. 이를 통해 꾸준한 행동을 유지할 수 있습니다.

이러한 방법들을 통해 작은 행동이 모여 큰 변화를 이끌어낼 수 있습니다. 작은 변화가 만드는 큰 차이를 경험해보세요. 절대 포기하지 마세요! 우리는 함께 이 길을 걸어나갈 수 있습니다. 미루는 습관을 극복하고, 꾸준한 행동을 통해 성공을 이루어봅시다.

5. 행동이 목표를 이끈다

머리에서 손으로: 생각을 행동으로 전환하기

목표를 달성하기 위해서는 단순한 생각에서 벗어나 실제로 행동으로 옮기는 것이 중요합니다. 많은 사람들이 훌륭한 아이디어와 계획을 가지고 있지만, 이를 실행에 옮기지 못해 목표를 달성하지 못합니다. 이를 위해 필요한 전략들을 상세하게 알아봅시다.

첫번째로, "구체적인 계획 수립"이 필요합니다. 목표를 달성하기 위해서는 구체적인 계획을 수립하는 것이 중요합니다. 단순히 목표를 세우는 것만으로는 부족합니다. 그 목표를 달성하기 위해 필요한 단계와 구체적인 행동 계획을 세우는 것이 필요합니다. 예를 들어, "살을 빼겠다"는 목표가 있다면, 이를 구체적으로 "하루에 30분씩 운동하기"로 세분화할 수 있습니다.

두번째로, "작은 단계로 나누기"가 필요합니다. 큰 목표는 처음에는 막연하고 두렵게 느껴질 수 있습니다. 그러나 이를 작은 단계로 나누면 달성하기가 훨씬 쉬워집니다. 예를 들어, 책 한 권을 읽는 목표가 있다면, 매일 10페이지씩 읽는 것으로 시작할 수 있습니다. 작은 단계로 나누는 것은 우리의 두려움을 줄이고, 성취감을 높이는 데 도움이 됩니다.

세번째로, "즉각적인 행동"이 중요합니다. 많은 사람들이 "언젠가"라는 막연한 생각으로 목표를 미루곤 합니다. 그러나 중요한 것은 지금 바로 행동을 시작하는 것입니다. "5초의 법칙"을 활용해 결정을 내리고 바로 행동에 옮기는 것이 중요합니다. 예를 들어, 운동을 결심했다면 바로 운동복을 입고 나가는 것입니다.

네번째로, "목표 시각화"가 필요합니다. 목표를 명확히 시각화하면 우리의 뇌는 이를 더 쉽게 받아들입니다. 목표를 그림이나 다이어그램으로 그려 눈에 잘 보이는 곳에 두면, 항상 목표를 기억하고 동기 부여를 유지할 수 있습니다. 예를 들어, 다이어트를 목표로 한다면, 원하는 체형의 사진을 눈에 잘 띄는 곳에 두는 것입니다.

다섯번째 전략으로는 "책임감 부여"가 있습니다. 자신에게 책임감을 부여하는 것도 중요한 전략입니다. 친구나 가족과 목표를 공유하고, 그들에게 자신의 진척 상황을 알리면 더 큰 책임감을 느낄 수 있습니다. 이는 목표 달성에 큰 도움이 됩니다. 예를 들어, 친구와 함께 운동 목표를 세우고, 서로의 진행 상황을 공유하는 것입니다. 책임감을 느끼면 미루지 않고 꾸준히 행동할 수 있게 됩니다.

여섯번째로, "장애물 극복 전략"을 미리 준비하는 것이 중요합니다. 목표를 달성하는 과정에서 우리는 다양한 장애물에 직면할 수 있습니다. 이러한 장애물을 극복하기 위한 전략을 미리 준비하는 것이 중요합니다. 예를 들어, 운동을 하려는데 날씨가 나쁘다면 실내 운동으로 대체할 수 있는 계획을 세우는 것입니다. 장애물에 대비한 대체 계획을 마련해 두면, 예기치 못한 상황에서도 목표를 향한 행동을 지속할 수 있습니다.

마지막으로, "내적 동기 부여"가 필요합니다. 목표를 세우는 이유와 그것이 자신에게 어떤 의미가 있는지를 명확히 하는 것이 중요합니다. 내적 동기는 우리가 어려운 상황에서도 꾸준히 행동을 지속할 수 있도록 도와줍니다. 예를 들어, 운동을 통해 건강을 유지하고 싶은 이유를 명확히 하고, 이를 계속 상기시키는 것입니다.

이러한 전략들을 올바르게 활용하면, 목표를 세우는 것에서 실질적인 행동으로 옮기는 것이 가능해집니다. 이를 통해 우리는 목표를 달성할 수 있을 것입니다.

실질적인 변화: 작은 행동의 힘

목표를 달성하기 위해서는 작은 행동의 중요성을 이해하고, 이를 꾸준히 실천하는 것이 중요합니다. 작은 행동이 모여 큰 변화를 일으킬 수 있으며, 이는 우리의 목표 달성에 큰 도움이 됩니다. 자, 그렇다면 작은 행동의 힘이 무엇일까요?

작은 승리는 우리의 자신감을 높이고, 더 큰 도전을 향한 동기를 부여합니다. "하루에 10분씩 운동하기"라는 작은 목표는 쉽게 달성할 수 있습니다. 이로 인해 우리는 성공 경험을 자주 느끼게 되고, 이는 우리의 자신감을 높이며, 더 큰 목표에 도전할 용기를 줍니다. "오늘은 10분만 더 공부해보자", "오늘은 책 한 페이지만 더 읽어보자" 이런 작은 승리가 쌓여서 큰 성취로 이어지는 것이죠.

꾸준함은 목표 달성의 핵심입니다. '하루에 3시간 운동하기'라는 큰 목표는 부담스러워 중도에 포기하기 쉽지만, '하루에 10분씩 운동하기'라는 작은 목표는 지속 가능성이 높습니다. 한 번의 큰 변화보다는 작은 변화를 지속적으로 실천하는 것이 더 큰 효과를 가져옵니다. 이는 마치 물방울이 바위를 뚫는 것과 같습니다. 작은 행동을 꾸준히 실천하면, 장기적으로 큰 성취를 이룰 수 있습니다.

작은 행동은 지속 가능성이 높습니다. 큰 목표나 계획은 종종 부담스러워 중도에 포기하기 쉽지만, 작은 행동은 지속하기 쉽습니다. 예를 들어, 하루에 5분씩만 중요한 업무를 시작해보면, 점차 그 시간을 늘려나가며 미루는 습관을 극복할 수 있습니다.

습관 형성의 원리도 작은 행동의 중요성을 강조합니다. 습관은 작은 행동을 반복함으로써 형성됩니다. 작은 행동이 자동화되어 우리의 일상에 녹아들 때, 우리는 이를 습관으로 만들 수 있습니다. 예를 들어, 아침에 일어나서 물 한 잔 마시는 작은 행동을 반복하면, 이는 자연스럽게 우리의 습관이 됩니다.

작은 행동은 긍정적 피드백 루프를 형성합니다. 작은 목표를 달성하고 이에 대한 긍정적인 피드백을 받으면, 우리는 더 큰 목표를 향해 나아갈 동기를 얻게 됩니다. 이는 우리를 더욱 꾸준히 행동하게 만듭니다.

예를 들어, 공부 습관을 만들고 싶다면 하루에 10분씩 공부를 시작하는 작은 행동이 큰 변화를 일으킬 수 있습니다. 이는 꾸준히 공부하는 습관을 형성하게 도와주며, 장기적으로 더 많은 지식을 쌓고 성적을 향상시키는 데 도움이 됩니다.

운동 습관을 만들고 싶다면, 하루에 5분씩 스트레칭을 시작하는 작은 행동이 큰 변화를 일으킬 수 있습니다. 이는 점차 운동 시간을 늘리고, 꾸준히 운동하는 습관을 형성하게 도와줍니다.

작은 행동이 모여 큰 성취를 이루게 됩니다. 그러니 지금 당장 작은 행동을 시작해보세요. 작은 변화가 모여 큰 성취를 이루게 될 것입니다.

6. 미루는 습관의 함정

희망의 덫: 지나친 낙관과 헛된 기대

미루는 습관의 함정 중 하나는 지나친 낙관과 헛된 기대입니다. 우리는 종종 상황을 낙관적으로 보면서 일을 미루곤 합니다. "나는 충분한 시간이 있어" 또는 "나중에 하면 더 잘 할 수 있어"라는 생각이 우리를 미루게 만듭니다.

우리는 일을 미루는 데 큰 역할을 하는 두 가지 주요 요인, 지나친 낙관과 헛된 기대를 조심해야 합니다. "나는 충분한 시간이 있어" 또는 "나중에 하면 더 잘 할 수 있어"라는 생각이 우리를 미루게 만듭니다. 이런 생각은 과소평가와 과대평가의 결과입니다.

지나친 낙관은 우리가 상황을 과소평가하고, 시간을 과대평가하는 경향이 있습니다. 예를 들어, 프로젝트 마감일까지 충분한 시간이 있다고 생각하면서, 실제로는 예상보다 시간이 많이 걸리는 경우가 많습니다. 이렇게 일을 미루게 되면, 결국 마지막 순간에 급하게 일을 처리하게 됩니다.

헛된 기대는 비현실적인 긍정적 생각을 불러일으키는 요인입니다. "다음 주에는 시간이 많을 거야"라는 기대는 대부분 현실과 다릅니다. 실제로 다음 주가 되면 예상치 못한 일이 생기기 마련입니다. 이런 헛된 기대는 일을 미루게 만들고, 결국 더 큰 스트레스를 초래합니다.

미루는 습관을 극복하기 위해서는 현실적인 시간 관리가 필요합니다. 자신이 실제로 얼마나 시간이 있는지, 그리고 그 시간 내에 무엇을 할 수 있는지 명확히 파악하는 것이 중요합니다. 예를 들어, 프로젝트를 완료하는 데 얼마나 시간이 걸릴지 현실적으로 평가하고, 그 시간을 관리하는 계획을 세우는 것입니다.

작은 목표를 설정하면 미루는 습관을 극복하는 데 도움이 됩니다. 큰 목표는 부담스럽고, 미루게 만들기 쉽습니다. 반면, 작은 목표는 쉽게 달성할 수 있어 성취감을 높이고, 꾸준히 행동할 수 있도록 도와줍니다. 예를 들어, 하루에 30분씩 공부하기를 목표로 설정하면, 이는 부담 없이 실천할 수 있습니다.

과정 자체를 즐기는 것도 중요합니다. 우리는 종종 결과만을 생각하면서 일을 미루곤 합니다. 그러나 과정을 즐기고, 작은 성취를 느끼는 것이 중요합니다. 예를 들어, 운동을 단순히 체중 감량을 위한 도구로 생각하기보다, 운동 자체의 즐거움을 느끼는 것입니다. 이렇게 하면 꾸준히 운동할 수 있게 됩니다.

미루는 습관을 극복하기 위해서는 미래의 나와 현재의 나를 구분하는 것이 중요합니다. 미래의 나에게 모든 책임을 전가하는 대신, 현재의 내가 해야 할 일을 명확히 인식하는 것이 중요합니다. 예를 들어, "내일의 나는 더 나을 거야"라는 생각을 버리고, "오늘의 내가 해야 할 일을 하자"는 생각을 가지는 것입니다.

비난과 저항: 현실 도피와 완벽주의의 위험

미루는 습관은 때때로 현실 도피와 완벽주의에서 나옵니다. 이것들이 우리가 일을 미루는 주요한 이유입니다. "왜 우리는 현실을 도피하고 완벽주의에 빠지는지 궁금해 할 수 있습니다."

미루는 습관은 다양한 심리적 요인에 의해 발생합니다. 이를 이해하고 현실적인 기대를 설정하며, 작은 목표로 꾸준히 행동하는 것이 중요합니다. 미루는 습관의 함정을 이해하고, 이를 극복하는 방법을 배워 더 나은 삶을 살아가는 것이 중요합니다. 지금 바로 작은 목표를 설정하고 실천해보세요. 작은 행동들이 모여 큰 변화를 만들 수 있습니다.

완벽주의는 모든 일을 완벽하게 해내려는 강박으로, 일을 미루게 만드는 큰 요인입니다. "지금 시작하기엔 준비가 부족하다"라는 생각이 든다면, 그것은 완벽주의의 일환이라 할 수 있습니다. 결국 이러한 생각은 일을 미루게 만들고, 마감일이 다가올 때까지 일을 시작하지 않게 만듭니다.

보고서를 완벽하게 작성하려는 압박감 때문에 보고서 작성 자체를 미루는 경우가 이에 해당합니다. 그러나 완벽주의는 비현실적인 기대에서 비롯되므로, 현실적인 기대를 설정하고, 작은 성취를 통해 자신감을 쌓는 것이 중요합니다. 예를 들어, 보고서를 완벽하게 작성하기보다, 먼저 초안을 작성하고, 이후에 수정하는 단계를 거치는 것이 더 효율적입니다.

미루는 습관을 이해하려면 그 원인을 알아야 합니다. 주요한 원인들 중에는 불안과 두려움이 있습니다. "만약 내가 실패하면 어떻게 될까?"라는 생각은 우리를 행동하지 못하게 만듭니다. 특히,

중요한 프레젠테이션을 앞두고 실패할까 봐 두려워서 준비를 미루는 경우가 이에 해당합니다. 이러한 두려움은 일을 시작하는 것을 어렵게 만드는 큰 장애물입니다.

현실 도피는 당면한 어려움이나 스트레스에서 벗어나기 위해 현실을 회피하는 것으로, 이는 일을 미루게 만드는 주요 요인 중 하나입니다. 예를 들어, 어려운 프로젝트를 피하기 위해 TV를 시청하거나 소셜 미디어에 빠지곤 합니다. 이러한 현실 도피는 일시적인 안도감을 주지만, 장기적으로는 더 큰 스트레스를 초래합니다.

미루는 습관은 종종 자기 비난과 자책으로 이어집니다. 일을 미루면서 스스로를 비난하고, 이는 다시 스트레스를 초래해 더 많은 미루는 행동을 유발합니다. 이러한 악순환을 끊기 위해서는 자기 비난을 멈추고, 긍정적인 자기 대화를 통해 자신을 격려하는 것이 중요합니다. 예를 들어, "나는 항상 일을 미뤄"라는 부정적인 생각을 "나는 작은 목표부터 시작할 수 있어"라는 긍정적인 생각으로 바꾸는 것이 도움이 됩니다.

작은 성공 경험은 우리의 자신감을 높이고, 더 큰 도전을 향한 동기를 부여합니다. 작은 목표를 설정하고 이를 달성하는 경험은 우리의 자기 효능감을 높입니다. 예를 들어, 매일 10분씩 운동을 시작해 작은 성취를 경험하면, 이는 더 긴 시간 운동을 하게 만드는 동기가 됩니다.

실패를 두려워하지 않고, 실패에서 배우는 것도 중요합니다. 우리는 실패를 통해 성장할 수 있습니다. 실패를 두려워하지 않고, 이를 성장의 기회로 받아들이는 것이 중요합니다. 예를 들어, 실패한 프로젝트를 분석하고, 무엇이 잘못되었는지, 어떻게 개선할 수 있는지를 배우는 것입니다.

제 2 장

올바른 결과는 충분한 준비에서 나온다

성공적인 결과를 이끌어내기 위해서는 충분한 준비가 필수적이며, 이는 계획, 자원 확보, 정보 수집, 기술과 능력의 습득을 포함합니다. 충분한 준비 없이는 원하는 결과를 얻기 어렵습니다. 따라서 효과적인 준비 방법과 충분한 준비를 결정하는 요소들을 탐구하는 것이 중요합니다.

1. 미루는 습관의 근원

내면의 구름: 자존감, 불안, 우울의 그림자

미루는 습관, 이를 극복하는 방법에 대해 알아보려 합니다. 미루는 습관의 근원을 파악하는 것은 해결책을 찾는 첫걸음입니다. 그렇다면 어떤 이유로 우리는 일을 미루게 될까요?

"나는 잘 할 수 없어", "나는 충분히 능력이 없어" 이런 생각을 가진 사람들은 종종 일을 미루게 됩니다. 이는 자존감이 낮을 때 나타나는 현상인데요, 자존감이 낮으면 자신에 대한 부정적인 생각과 감정이 생기고, 이로 인해 행동을 미루는 경향이 있습니다. 그럼 어떻게 자존감 문제를 해결할 수 있을까요? 자기 인식과 자기 수용이 중요합니다. 자신의 강점을 인식하고, 자신에게 긍정적인 피드백을 주는 것이 중요합니다. 작은 성취를 통해 자신감을 쌓아가며, 그러면 자존감을 높일 수 있게 됩니다.

불안과 스트레스도 미루는 습관의 중요한 원인 중 하나입니다. 불안한 상황에서 우리는 그 불안을 피하려고 일을 미루게 됩니다. 예를 들어, 시험을 앞둔 학생이 시험에 대한 불안 때문에 공부를 미루는 경우가 있습니다. 이런 불안과 스트레스는 일을 미루게 만드는 주요 요인입니다.

그렇다면 이런 불안과 스트레스를 어떻게 관리할 수 있을까요? 스트레스 관리 기법을 배우는 것이 중요합니다. 명상, 호흡법, 운동 등은 불안과 스트레스를 줄이는 데 효과적입니다. 또한, 불안을 마주하고 이를 해결하기 위한 구체적인 계획을 세우는 것도 도움이 됩니다. 예를 들어, 시험 공부를 작은 단위로 나누어 계획을 세우고, 이를 차근차근 실천하는 것입니다.

우울과 무기력은 미루는 습관의 또 다른 원인입니다. 우울한 상태에서는 동기와 에너지가 부족하여 어떤 일도 시작하기 어렵습니다. 우울증을 겪고 있는 사람은 일상적인 일조차도 미루고 무기력하게 지내는 경우가 많습니다. 우울과 무기력은 우리가 일을 미루게 만드는 중요한 요인입니다.

우울과 무기력을 극복하기 위해서는 전문가의 도움을 받는 것이 중요합니다. 심리 상담이나 치료를 통해 자신의 감정을 이해하고, 이를 관리하는 방법을 배우는 것이 필요합니다. 또한, 작은 목표를 설정하고 이를 달성하는 경험을 통해 동기와 에너지를 회복하는 것도 도움이 됩니다. 예를 들어, 하루에 5분씩 산책을 시작하는 것입니다.

이처럼 미루는 습관의 근원은 다양한 심리적 요인에서 비롯됩니다. 자존감 문제, 불안과 스트레스, 우울과 무기력 등은 모두 미루는 습관을 강화하는 요인입니다. 이를 이해하고, 적절히 관리하는 것이 미루는 습관을 극복하는 첫걸음입니다. 자신의 심리적 상태를 이해하고, 이를 개선하기 위한 구체적인 계획을 세우며, 더 나은 삶을 살 수 있습니다.

주의력 결핍과 과잉 행동 장애

우리가 이야기를 시작하기 전에, 우리가 자주 겪는 문제 중 하나인 '미루는 습관'의 주된 원인 중 하나인 '주의력 결핍과 과잉 행동 장애에 대해 깊이 있게 이야기하려 합니다. ADHD라는 것은 무엇일까요? 그리고 ADHD를 가진 사람들은 일상에서 어떤 모습을 보일까요?

일반적으로, 그들은 일상생활에서 주의를 집중하기 어려워하고, 갑작스럽게 행동하는 충동적인 경향을 보입니다. 이러한 특성 때문에 일상 생활에서 필요한 조직화와 계획을 세우는 데 어려움을 겪습니다. 이러한 어려움은 중요한 일을 계획하고 실행하는 데 있어서 부정적인 영향을 미치며, 결국 그들이 일을 미루는 경향이 생겨납니다.

ADHD를 가진 친구가 이런 어려움을 겪고 있다면, 그들이 이 문제를 해결하기 위해 전문가의 도움을 받아 ADHD를 관리하는 것이 얼마나 중요한지 알아야 합니다. 약물 치료나 행동 치료와 같은 다양한 치료 방법을 통해 증상을 관리하고, 일정 관리를 철저히 하는 것도 큰 도움이 됩니다. 예를 들어, 하루 일과를 시간 단위로 나누어 계획을 세우고, 작은 목표를 설정하여 하나하나 실천하는 것이 좋습니다.

이외에도 우리의 행동과 성취에 깊은 영향을 주는 중요한 요소인 '정신 건강'에 대해 이야기해 볼 필요가 있습니다. 미루는 습관의 근본 원인은 종종 우리의 정신 건강 상태와 깊은 관련이 있습니다. 그러므로, 건강한 정신 상태를 유지하는 것은 우리의 행동을 관리하고, 목표를 달성하는 데 중요한 역할을 합니다. 따라서, 우리는 정신 건강을 지속적으로 관리하고, 필요할 때 전문가의 도움을 받는 것이 중요합니다. 예를 들어, 정기적으로 상담을 받거나, 스트레스 관리 기법을 배우는 것이 좋습니다.

이런 방식으로, 우리는 일상에서 행동을 미루는 원인과 그럼에도 불구하고 미루는 습관을 극복하는 방법에 대해 알아보았습니다.

이제 우리는 각자의 상황에 맞는 대응 방안을 생각해보는 시간을 가져보아야 합니다. 그리고 "작은 목표를 설정하고, 이를 달성하는 경험을 통해 동기와 에너지를 회복하는 것"이 중요하다는 것을 항상 기억해야 합니다.

2. 미루는 습관 원인 점검

자신의 패턴 파악하기: 내 안의 미루는 습관 원인 찾기

우리는 모두 가끔씩 일을 미루는 경향이 있습니다. 그렇다면 '왜 나는 일을 미루는가?'라는 질문을 스스로에게 던져본 적이 있나요? 이러한 미루는 습관을 극복하기 위해서는 먼저 자신의 패턴을 파악하는 것이 가장 중요합니다. 여기서는 우리 각자가 각기 다른 이유로 일을 미루는 이유를 파악하는 방법에 대해 알아봅시다.

먼저, 자신의 행동 패턴을 이해하는 첫 단계인 자기 인식에 대해 알아봅시다. 매일 저녁, 하루 동안의 행동을 돌아보고, 무엇을 미루었는지, 왜 미루었는지 기록해보세요. 이러한 자기 반성의 과정은 자신의 행동 패턴을 더 잘 이해하는 데 도움이 됩니다. 이는 마치 매일 저녁 10분동안 하루 동안 미루었던 일을 일기로 기록하고, 그 이유를 분석하는 것과 같습니다.

다음으로, 미루는 행동의 트리거를 파악하는 트리거 파악이 중요합니다. 트리거란 일을 미루게 만드는 어떤 상황이나 감정을 말합니다. 예를 들어, 스트레스, 피로, 불안 등 특정 감정이 일을 미루게 만드는 트리거일 수 있습니다. 이를 파악하고, 그 트리거를 관리하는 방법을 배우는 것이 중요합니다.

그리고, 습관 일지 작성이 효과적인 방법입니다. 습관 일지를 통해 자신의 행동을 기록하고, 반복되는 패턴을 찾아보세요. 예를 들어, 매일 아침 몇 시에 일어나는지, 몇 시에 일을 시작하는지, 어떤 일을 미루는지 기록해보세요. 이를 통해 자신의 습관을 더 잘 이해할 수 있습니다.

마지막으로, 자기 반성 질문을 통해 스스로에게 질문해보세요: "오늘 미룬 일이 있었는가?", "왜 그 일을 미루었는가?", "미룬 일의 결과는 어땠는가?", "다음에는 어떻게 행동할 것인가?" 이러한 질문을 통해 자신의 행동을 분석하고, 개선할 수 있는 방법을 찾아보세요.

이처럼, 자신의 패턴을 파악하고 그 원인을 찾아내는 것은 미루는 습관을 극복하는 첫 번째 단계입니다. 이 단계를 거치면서 자신을 더 잘 이해하게 되고, 이를 바탕으로 미루는 습관을 극복하는 방법을 찾아낼 수 있습니다.

자기 점검 도구: 일상 속 습관 분석하기

미루는 습관은 많은 사람들이 겪는 고민 중 하나입니다. 그렇다면 이 미루는 습관을 극복하기 위한 방법은 무엇일까요? 첫 번째 단계는 자기 점검입니다.

자기 점검이란, 자신의 행동 패턴을 이해하고, 그 중에서 불필요하거나 비효율적인 행동을 찾아내는 과정입니다. 이를 위해 다양한 도구와 기법을 활용할 수 있습니다.

먼저, '타임 로그'를 활용해보세요. 타임 로그는 하루 동안 어떻게 시간을 사용했는지를 기록하는 도구입니다. 이를 통해 비효율적으로 사용된 시간을 파악하고, 그 시간을 어떻게 더 효과적으로 사용할 수 있는지를 생각해보는 것이 중요합니다.

다음으로 '우선순위 매기기'도 중요합니다. 해야 할 일들을 모두 목록으로 작성한 후, 그 중에서 가장 중요하고 긴급한 일부터 처리하도록 계획을 세워보세요. 이렇게 하면 덜 중요한 일을 미루는 대신, 중요한 일부터 먼저 처리하게 되어 더 효율적인 시간 관리가 가능해집니다.

또한, '스마트 목표 설정'도 시도해보세요. 스마트 목표 설정은 Specific (구체적), Measurable(측정 가능), Achievable(달성 가능), Relevant(관련성 있는), Time-bound(시간 제한이 있는)의 약자로, 이 원칙에 따라 목표를 설정하면, 목표가 더 명확해지고 달성 가능성이 높아집니다.

'피드백 루프'도 활용해보세요. 피드백 루프는 자신의 행동을 지속적으로 점검하고, 개선할 수 있는 부분을 찾아내는 과정입니다. 이 과정을 통해 자신의 행동을 개선하고, 더 나은 습관을 형성할 수 있습니다.

'생산성 앱'도 활용해보세요. 다양한 생산성 앱을 활용하면, 일정 관리와 태스크 관리를 더 효과적으로 할 수 있습니다. 이러한 앱들은 자신의 시간을 관리하고, 해야 할 일을 효율적으로 처리하는 데 도움이 됩니다.

마지막으로, '자기 반성의 시간'을 가져보세요. 매일 저녁, 하루 동안의 행동을 돌아보고, 무엇을 잘했는지, 무엇을 개선할 수 있는지 생각해보세요. 이를 통해 자신의 행동을 지속적으로 개선하고, 더 나은 습관을 형성할 수 있습니다.

이러한 방법들을 활용하여 자신의 미루는 습관을 극복하는데 도전해보세요. 당신이 만약 이 글을 읽다가 '나중에 해야지'라는 생각이 든다면, 그것은 바로 미루는 습관의 시작일 수 있습니다. 그러니 지금 바로 시작해보세요. 작은 단계부터 시작하여, 점차 습관을 개선해나가는 것이 중요합니다. 그렇게 하면, 미루는 습관을 극복하고, 더 효율적이고 생산적인 삶을 살 수 있을 것입니다.

3. 미루는 습관의 다양한 유형

미루는 습관의 얼굴들: 다양한 유형과 그 특징

선뜻 시작하기 어려운 일, 쉽게 미루게 되는 일. 그 이유는 무엇일까요? 그 원인은 우리 안의 '미루는 습관'에 있습니다. 이 습관은 다양한 형태로 나타나며, 그 형태를 이해하는 것은 미루는 습관을 극복하는 첫걸음입니다. 그렇다면, 어떤 유형의 미루는 습관이 있을까요?

완벽주의형: 이 유형의 사람들은 모든 작업을 완벽하게 수행해야 한다는 강한 강박이 있습니다. 그들은 세부적이고 소소한 부분에서도 실수를 내지 않아야 한다는 생각에 사로잡혀 있습니다. 이로 인해 작은 실수조차 용납하지 않게 되고, 완벽하지 않은 준비 상태에서는 일을 시작조차 하지 않게 됩니다. "나는 잘 할 수 있어야 해"라는 생각이 강해질수록, 이런 유형의 사람들은 일을 더욱 미루게 됩니다. 이로 인해 필요한 일이 계속 미뤄지고 중요한 기회를 놓치게 될 수 있습니다.

불안 회피형: 이 유형의 사람들은 불안이나 스트레스가 높아질 때 일을 미루는 경향이 있습니다. 일을 시작하려는 시도 자체가 불안을 유발하며, 이러한 불안을 피하고자 일을 미루게 됩니다. "나는 이 일을 할 수 있을까?"라는 불안감 때문에 일을 미루게 되고, 이로 인해 필요한 일을 수행하지 못하게 됩니다.

즉각 만족 추구형: 이 유형의 사람들은 당장의 즐거움이나 만족을 위해 중요한 일을 미룹니다. 장기적인 목표보다는 현재의 즐거움을 우선시하며, "나는 지금 즐겁게 놀 수 있어야 해"라는 생각으로 일을 미루게 됩니다. 이로 인해 장기적인 목표 달성이 어렵게 되며, 중요한 일을 미루게 됩니다.

우유부단형: 이 유형의 사람들은 결정을 내리지 못해 일을 미룹니다. "어떤 일부터 해야 할까?"라는 결정의 어려움 때문에 어떤 행동을 취할지 결정하지 못하고 일을 미루게 됩니다. 이로 인해 필요한 일을 미루게 되며, 많은 기회를 놓치게 됩니다.

동기 부족형: 이 유형의 사람들은 목표에 대한 동기나 열정이 부족해 일을 미룹니다. "나는 왜 이 일을 해야 할까?"라는 물음에서, 해야 할 일에 대한 의미나 목적을 찾지 못해 일을 미루게 됩니다. 이로 인해 중요한 일을 미루게 되고, 목표 달성이 어렵게 됩니다.

낙천주의형: 이 유형의 사람들은 시간이 충분하다고 생각하여 일을 미룹니다. "나중에 하면 돼"라는 생각으로 일을 미루지만, 결국 시간이 부족해져 문제를 겪게 됩니다. 이로 인해 중요한 일을 미루게 되며, 마감일을 지키지 못하게 됩니다.

과대평가형: 이 유형의 사람들은 자신의 능력을 과대평가하여 일을 미룹니다. "나는 빨리 할 수 있어"라는 생각으로 일을 미루지만, 실제로는 예상보다 시간이 더 걸립니다. 이로 인해 마감일을 지키지 못하거나, 일의 품질이 떨어질 수 있습니다.

이처럼, 미루는 습관의 유형은 다양합니다. 자신의 유형을 파악하는 것은 미루는 습관을 극복하는 첫걸음입니다. 이를 통해 자신의 습관을 이해하고, 이를 개선하기 위한 방안을 찾아보세요. 그리고 기억하세요, "작은 목표를 설정하고, 이를 달성하는 경험을 통해 동기와 에너지를 회복하는 것"이 중요함을 잊지 마세요. 그렇다면, 이런 미루기의 습관을 극복하기 위한 노하우는 무엇일까요?

작은 목표 설정: 큰 목표는 종종 압박감을 주어 일을 미루게 만듭니다. 이를 극복하기 위해 큰 목표를 작은, 달성 가능한 목표로 나눠보세요. 이렇게 작은 목표를 세우면 달성 가능성이 높아지고, 한 단계씩 성취해나갈 때마다 생기는 성취감이 큰 동기부여가 됩니다.

돌아보는 시간 가지기: 일을 미루는 이유를 알아내기 위해 스스로에게 시간을 주고, 돌아봐야 합니다. 왜 일을 미루는지, 그 근본적인 이유는 무엇인지를 찾아보세요. 그 이유를 극복하는 방안을 찾는 것도 중요합니다. 이 과정에서 자신의 감정과 행동에 대한 이해를 높이고, 스스로를 인정하고 위로하는 것이 중요합니다.

지원 시스템 활용: 혼자서는 해결하기 어려운 문제나 일들에 대해 도움을 주는 사람을 찾아보세요. 이런 지원 시스템으로는 친구, 동료, 가족 등이 있을 수 있습니다. 이들은 격려와 도움을 줄 수 있으며, 함께 목표를 달성하는 경험은 큰 도움과 힘이 될 것입니다.

꾸준한 실천: 미루기의 습관을 극복하는 것은 단기간에 이루어지는 것이 아닙니다. 꾸준히 실천하면서 자신의 변화를 체감하고, 그 과정을 즐기세요. 이는 지속적인 노력과 시간을 필요로 하지만, 그만큼 더욱 값진 결과를 가져다 줄 것입니다.

미루는 습관을 극복하는 것은 끊임 없는 싸움이지만, 그 싸움을 이기는 것은 결국 자신을 이기는 것입니다. 그래서 그 첫걸음을 내딛는 것이 중요합니다. 지금 당장 작은 목표를 설정하고, 이를 실천해보세요. 작은 행동이 모여 큰 변화를 이끌어낼 것입니다.

자기 유형 찾기: 나의 미루는 습관 스타일 이해하기

우리는 모두 미루는 습관을 가지고 있습니다. 이를 극복하기 위해 자신의 유형을 이해하는 것이 중요합니다. 각 유형에 따라 다른 전략이 필요하며, 자신에게 맞는 방법을 찾아야 합니다. 그럼 어떻게 자신의 미루는 습관 유형을 찾을 수 있을까요?

첫 번째 방법은 자기 진단 테스트입니다. 다양한 질문을 통해 자신의 행동 패턴을 분석하고, 어떤 유형에 해당하는지 파악해보세요. 예를 들어, "나는 일을 시작하기 전에 모든 것이 완벽해야 한다고 생각하는가?"라는 질문에 대한 대답을 통해 완벽주의형인지 파악할 수 있습니다.

두 번째 방법은 행동 일지 작성입니다. 하루 동안의 행동을 기록하고, 무엇을 미루었는지, 왜 미루었는지 분석해보세요. 이를 통해 자신의 미루는 습관 유형을 더 잘 이해할 수 있습니다. 예를 들어, "오늘 중요한 업무를 미루고 소셜 미디어를 사용했다"라는 기록을 통해 즉각 만족 추구형인지 파악할 수 있습니다.

자신의 미루는 습관 유형을 파악한 후에는 이에 맞는 전략을 적용해보세요. 각 유형에 따라 다른 전략이 필요하며, 자신에게 맞는 방법을 찾아야 합니다. 예를 들어, 완벽주의형이라면 작은 목표를 설정하고, 작은 성취를 통해 자신감을 쌓는 것이 도움이 됩니다. 불안 회피형이라면 명상, 호흡법, 운동 등 불안을 관리하는 방법을 배워야 합니다. 즉각 만족 추구형이라면 작은 목표를 달성할 때마다 자신에게 작은 보상을 제공하는 것이 좋습니다. 따라서, 자신의 유형에 따라 적절한 전략을 적용하는 것이 중요합니다.

하지만 미루는 습관을 극복하는 것은 쉽지 않습니다. 많은 시간과 노력이 필요하며, 때로는 전문가의 도움이 필요할 수도 있습니다. 이해하고, 인정하고, 변화하는 것, 이 세 가지 단계를 거쳐야 합니다. 자신의 미루는 습관을 이해하고, 이를 인정하며, 그리고 이를 변화시키려는 노력을 통해 미루는 습관을 극복해 나갈 수 있습니다.

그렇다면, 각 유형에 맞는 전략은 무엇일까요? 이제부터 각 유형별로 적용 가능한 전략을 알아보겠습니다. 자신의 미루는 습관 유형에 따른 전략을 찾아 적용하면, 이 습관을 극복하는데 한 걸음 더 다가갈 수 있습니다. 미루는 습관은 다양한 형태로 나타나기 때문에 이를 이해하는 것이 중요하며, 이를 극복하기 위해 적절한 전략을 적용해보세요. 맞는 방법을 찾아 꾸준히 실천하면, 더 나은 삶을 살 수 있습니다. 지금 바로 작은 목표를 설정하고 실천해보세요. 이 작은 행동이 큰 변화를 이끌 것입니다.

완벽주의형 전략: 완벽주의형은 모든 것이 완벽해야만 시작할 수 있다고 느끼는 경향이 있습니다. 이런 유형의 사람들에게는 다음의 전략들이 도움이 될 수 있습니다.

작은 목표 설정: 완벽주의형은 모든 것이 완벽해야만 시작할 수 있다고 느끼는 경향이 있습니다. 따라서 "오늘은 10분만 공부해보자"와 같은 간단하고, 완벽하지 않아도 되는 작은 목표를 설정하여 시작하는 것이 중요합니다. 이런 단계적인 접근법은 큰 목표를 작게 나눠 접근하게 함으로써 완벽주의의 부담감을 줄이는 데 도움을 줍니다.

80% 규칙: 모든 일을 완벽하게 하려는 대신, 80% 정도의 완성도를 목표로 합니다. 이는 일을 시작하는 데 걸림돌이 되는 완벽주의를 완화시키는 데 도움이 됩니다. 100% 완벽함을 추구하기보다 일단 시작하고, 그 후에 향상시키는 방법을 선택함으로써 완벽주의의 압박을 완화할 수 있습니다.

피드백 받기: 다른 사람에게 작업한 내용에 대한 피드백을 받아, 완벽하지 않아도 괜찮다는 것을 인식합니다. 이는 완벽주의에 갇혀 자신을 너무 엄격하게 평가하는 것을 방지하는 데 도움이 됩니다. 다른 사람의 입장에서 보면, 완벽하지 않은 부분도 충분히 인정받을 수 있음을 깨닫게 됩니다.

불안 회피형 전략: 불안 회피형은 일을 하면서 불안감을 느끼거나, 실패를 두려워하는 경향이 있습니다. 이런 유형의 사람들에게는 다음의 전략들이 도움이 될 수 있습니다.

불안 관리 기법: 불안 회피형은 일을 하면서 불안감을 느끼거나, 실패를 두려워하는 경향이 있습니다. 따라서 명상, 호흡법, 운동 등 불안을 관리하는 방법을 배웁니다. 이를 통해 일을 시작하는 것에 대한 두려움을 줄일 수 있습니다. 이런 기법들은 마음의 안정을 찾고, 불안 감정을 직면하면서 관리하는 능력을 키울 수 있습니다.

작은 목표 설정: 작은 목표를 설정하고 이를 달성하여 자신감을 쌓습니다. 이는 불안감을 줄이고, 일을 시작하는 데 도움이 됩니다. 이런 단계적 접근법은 큰 목표를 작게 나눠 접근하게 함으로써 불안의 부담감을 줄이는 데 도움을 줍니다.

현실적인 계획: 불안의 원인을 분석하고, 이를 해결하기 위한 구체적인 계획을 세웁니다. 이는 일을 시작하는 데 있어서의 불안감을 줄이는 데 도움이 됩니다. 이는 불안에 대한 이해를 높이고, 그 원인을 해결하는 방식으로 접근하게 해줍니다.

즉각 만족 추구형 전략: 즉각 만족 추구형은 즉각적인 보상이 없으면 일을 시작하는 데 어려움을 느끼는 경향이 있습니다. 이런 유형의 사람들에게는 다음의 전략들이 도움이 될 수 있습니다.

즉각적인 보상 제공: 즉각 만족 추구형은 즉각적인 보상이 없으면 일을 시작하는 데 어려움을 느끼는 경향이 있습니다. 따라서 작은 목표를 달성할 때마다 자신에게 작은 보상을 제공합니다. 이는 일을 시작하는 데 동기를 부여하는 데 도움이 됩니다. 이렇게 작은 목표 달성마다 보상을 주는 것은 즉각적인 만족감을 제공하고, 이는 일을 시작하는 데 필요한 동기부여를 제공합니다.

우선순위 매기기: 중요한 일과 덜 중요한 일을 구분하고, 중요한 일을 먼저 처리합니다. 이는 일을 시작하는 데 있어서의 방해를 줄이는 데 도움이 됩니다. 이는 일을 시작하는 데 방해가 되는 요소를 줄이고, 중요한 일에 집중할 수 있게 도와줍니다.

방해 요소 제거: 집중을 방해하는 요소를 제거하고, 일에 집중할 수 있는 환경을 만듭니다. 이는 일을 시작하는 데 도움이 됩니다. 이는 집중력을 높이고, 일을 시작하는데 필요한 집중력을 유지하는 데 도움을 줍니다.

4. 미루는 습관의 증상

뭐든지 시작이 반이라고 하죠. 그런데 가끔 뭔가를 시작하는 것이 그렇게 어려울 때가 있습니다. 무엇을 해야 할지 알면서도 미루고 미루다 보면 결국 마감 시간이 코앞에 다가와 버리죠. 이런 현상을 우리는 '미루는 습관' 혹은 '연기증'이라고 부릅니다.

미루는 습관은 여러 가지 신호를 통해 나타나는데요, 그 중 몇 가지를 알아보겠습니다.

미루는 습관의 가장 명확한 신호는 '반복적인 지연'입니다. 해야 할 일을 계속해서 미루다 보면 결국 마감일이 다가와 버리죠. 이렇게 일을 계속 미루다 보면, 마감일이 다가와서야 겨우 시작하는 경우가 있습니다. '내일 해야지'라는 말을 반복하다 보면, 결국 '내일'은 점점 미래로 밀려나게 됩니다.

미루는 습관은 종종 불안과 스트레스와 함께 나타납니다. 일을 미루면서 우리는 그 일에 대한 불안과 스트레스를 느끼게 됩니다. 이런 불안과 스트레스는 일을 미루게 만들고, 일을 미루다 보면 불안과 스트레스는 더 커져 버립니다. 쉽게 말해 악순환인 거죠.

미루는 습관을 가지면 자기 비난과 죄책감을 느끼게 됩니다. '왜 나는 이렇게 미루지?' '내가 더 빨리 했다면 이런 일은

없었을텐데'라는 생각이 들게 되죠. 이런 자기 비난과 죄책감은 우리의 마음을 더욱 힘들게 만듭니다.

미루는 습관을 가지면 집중력이 떨어집니다. 해야 할 일을 미루면서, 다른 일에 집중하지 못하게 됩니다. 이런 설명은 어떻게 보면 마치 우리가 집중력이 없어서 일을 미루는 것처럼 보일 수도 있습니다. 하지만, 사실은 미루는 습관 때문에 집중력이 떨어지는 것입니다.

미루는 습관을 가지면 생산성이 감소합니다. 마감 시간이 다가와서야 겨우 시작하면, 당연히 생산성이 떨어질 수밖에 없습니다. 또한, 일을 미루면서 우리는 중요한 일을 제때에 하지 못하게 됩니다.

마지막으로, 미루는 습관을 가지면 피로와 체력 저하를 느낄 수 있습니다. 일을 미루고 마지막 순간에 급하게 처리하면, 우리는 과도한 스트레스와 피로를 느끼게 됩니다. 이렇게 되면 우리의 건강에도 좋지 않습니다.

이처럼 미루는 습관은 다양한 방법으로 우리에게 신호를 보냅니다. 이 신호들을 잘 인식하고, 그 원인을 찾아 해결하는 것이 중요합니다. 우리는 이러한 신호들을 잘 파악하고, 그에 맞는 대처 방안을 찾아야 합니다.

이를 위해 우리는 먼저 자신의 행동 패턴을 이해해야 합니다. 자신이 왜 일을 미루는지, 그 원인이 무엇인지 찾아보세요. 그리고 그 원인을 해결하기 위한 방법을 찾아보세요. 그럼 첫걸음을 내딛을 수 있을 것입니다.

미루는 습관과 함께하는 삶: 증상의 일상적 영향

미루는 습관이라는 것은 우리의 일상생활에 어떤 영향을 미칠까요? 그렇다면 그 영향을 줄이는 방법은 무엇일까요? 여기에서는 미루는 습관과 그 영향에 대해 이야기하고자 합니다.

먼저, 직장 생활에서 미루는 습관은 어떤 문제를 일으킬까요? 중요한 업무를 미루면 업무 효율성이 떨어지고 직장 내에서의 평가도 낮아집니다. 그럼 어떻게 이 문제를 해결할 수 있을까요? 일을 미루는 대신, 작은 일부터 시작하여 일정을 체계적으로 관리하는 것이 중요합니다.

다음으로, 학업에서 미루는 습관은 학업 성취도에 부정적인 영향을 미칩니다. 예를 들어, 시험 공부나 과제를 미루면 학업 성적이 떨어지고 학습 동기가 감소하게 됩니다. 이를 해결하기 위해서는 학습 계획을 세우고, 시간을 효율적으로 사용하는 것이 중요합니다.

개인 생활에서도 미루는 습관은 다양한 문제를 초래할 수 있습니다. 우리는 개인적인 목표나 계획을 미루면서 삶의 질이 떨어지게 됩니다. 이를 해결하기 위해서는 작은 목표를 설정하고, 그 목표를 달성하기 위해 일정을 체계적으로 관리하는 것이 중요합니다.

또한, 미루는 습관은 인간 관계에도 영향을 미칩니다. 우리는 약속이나 중요한 일을 미루면서 다른 사람들에게 신뢰를 잃게 됩니다. 이를 해결하기 위해서는 약속이나 중요한 일을 미루는 대신, 일정을 체계적으로 관리하는 것이 중요합니다.

자기 개발에서 미루는 습관은 우리의 성장을 제한합니다. 우리는 자기 개발을 위한 계획이나 목표를 미루면서 성장의 기회를 놓치게 됩니다. 이를 해결하기 위해서는 자기 개발을 위한 작은 목표를 설정하고, 그 목표를 달성하기 위해 계획을 체계적으로 관리하는 것이 중요합니다.

시간 관리에서 미루는 습관은 우리의 생활을 비효율적으로 만듭니다. 우리는 해야 할 일을 미루면서 시간을 효율적으로 사용하지 못하게 됩니다. 이를 해결하기 위해서는 일을 미루는 대신, 일정을 체계적으로 관리하는 것이 중요합니다.

마지막으로, 정신 건강에서 미루는 습관은 스트레스와 불안을 증가시키고, 정신 건강을 악화시킵니다. 이를 해결하기 위해서는 전문가의 도움을 받아 스트레스 관리 기법을 배우는 것이 중요합니다.

결론적으로, 미루는 습관은 우리의 일상생활에 다양한 부정적인 영향을 미칩니다. 그러나 이를 인식하고, 그 영향을 줄이는 방법을 찾는 것이 중요합니다. 미루는 습관의 징후를 인식하고, 이를 극복하기 위한 구체적인 전략을 세우면 더 나은 삶을 살 수 있습니다. 지금 당장 미루는 습관을 극복하기 위한 작은 목표를 설정하고, 이를 실천해보세요. 그러면 작은 행동이 모여 큰 변화를 이끌어낼 것입니다.

5. 미루는 사람들의 습관 사례

미루는 습관의 다양한 유형들을 이해하기

우리는 모두 가끔씩 일을 미루는 경향이 있습니다. 그렇다면 왜 우리는 일을 미루게 될까요? 이해하기 위해, 실제 사례를 통해 미루는 습관이 어떻게 나타나는지, 그리고 그 결과가 무엇인지 살펴볼 필요가 있습니다. 미루는 습관은 다양한 유형이 있으며, 그 원인도 다양합니다. 이를 이해하고, 적절히 관리하는 것이 미루는 습관을 극복하는 첫걸음입니다. 그러면 이제, 미루는 습관의 다양한 유형들을 알아보며, 각각의 유형에 따른 대처 방법을 함께 생각해보도록 하겠습니다.

사례 1: 학생의 시험 준비

민준은 대학생으로, 시험 준비를 미루는 습관이 있습니다. 그는 시험이 다가올수록 불안해지고, 그 불안을 피하기 위해 공부를 미루곤 합니다. 대신, 소셜 미디어를 확인하거나 TV를 시청하며 시간을 보내게 됩니다. 시험이 다가올수록 그의 스트레스는 커지고, 결국 밤을 새워 벼락치기를 하게 됩니다.

그런데 벼락치기로는 충분한 공부를 하지 못하며 그의 성적은 기대에 미치지 못하게 됩니다. 그래서 민준은 자신의 미루는 습관이 문제라는 것을 깨닫게 됩니다. 그러나 그는 자신의 습관을 변화시키기 어려워합니다. 민준의 사례에서 알 수 있듯이, 불안감이나 스트레스는 일을 미루는 주요 원인이 될 수 있습니다. 이럴 때에는 시험 공부를 작은 단위로 나누어 계획을 세우고, 이를 차근차근 실천하는 것이 도움이 될 수 있습니다.

사례 2: 직장인의 프로젝트 마감

수진는 광고 회사의 프로젝트 매니저로, 중요한 프로젝트를 자주 미루곤 합니다. 그녀는 프로젝트의 성공에 대한 압박감 때문에 일을 시작하지 못하고, 대신 사소한 업무나 동료와의 잡담으로 시간을 보내게 됩니다. 마감일이 가까워질수록 스트레스가 커지고, 결국 밤을 새워 프로젝트를 완성하지만, 완성도는 떨어지고 피로가 쌓입니다. 사라는 자신이 왜 항상 일을 미루는지 이해하지 못하고, 이를 해결하기 위한 구체적인 계획을 세우지 못합니다.

수진의 사례에서 알 수 있듯이, 압박감이나 완벽주의 등도 일을 미루게 하는 원인이 될 수 있습니다. 이럴 때에는 작은 목표를 설정하고, 이를 차근차근 이뤄가는 것이 중요합니다. 그리고 스트레스 관리 기법을 배우는 것도 중요합니다.

사례 3: 건강 관리의 실패

지훈은 건강을 관리해야 한다는 것을 알고 있지만, 운동을 미루는 습관이 있습니다. 그는 매일 운동을 하겠다고 결심하지만, 피곤하다는 이유로 미루게 됩니다. 결과적으로 체중이 증가하고, 건강 문제가 발생하지만, 여전히 운동을 시작하지 못합니다. 지훈는 자신의 건강을 개선하기 위해 작은 목표를 설정하고 꾸준히 실천해야 한다는 것을 깨닫지만, 이를 실천하는 데 어려움을 겪습니다.

지훈의 사례에서 알 수 있듯이, 피곤함이나 동기 부족도 일을 미루는 원인이 될 수 있습니다. 이럴 때에는 작은 목표를 설정하고 이를 달성하는 경험을 통해 동기를 회복하는 것이 중요합니다. 예를 들어, 하루에 5분씩 산책을 시작하는 것이 좋습니다.

사례 4: 창작 활동의 지연

영희는 작가로서 그녀의 고유한 생각과 이야기를 세상에 전하고자 하는 강렬한 열망을 가지고 있습니다. 그러나 그녀는 자신의 책을 쓰는 것을 계속 미루고 있습니다. 그녀는 완벽한 첫 번째 문장, 그 진정한 시작점을 찾지 못하면 작업을 시작하지 않으려는 강한 완벽주의 성향을 가지고 있습니다. 이 완벽주의는 그녀에게 큰 부담을 주며, 그녀의 창작력을 억제하고 있습니다.

그녀는 매일 충실하게 책상 앞에 앉아 있지만, 대부분의 시간을 인터넷 서핑이나 다른 사소한 일들로 보내며, 그녀의 진정한 목표인 글쓰기에 집중하지 못하고 있습니다. 그녀는 이러한 활동들을 통해 스트레스를 해소하거나 글쓰기에서 벗어날 수 있다고 생각하지만, 실제로는 그녀의 창작 과정을 방해하고 있습니다.

극복의 시작: 변화의 첫걸음

먼저, 우리가 왜 일을 미루게 되는지에 대한 원인을 파악하는 것이 중요한 첫 번째 단계입니다. 이해해야 할 중요한 점은, 우리가 일을 미루는 이유는 다양하며, 각각의 이유는 개인의 상황과 연관되어 있습니다. 따라서 우리는 개인적인 경험과 상황을 깊이 이해하고 고려하여 원인을 파악해야 합니다.

일반적으로, 스트레스, 우선 순위 설정의 어려움, 동기 부여의 부족 등이 일을 미루게 되는 주요 원인으로 여겨집니다. 스트레스는 우리가 과도하게 느끼게 되면, 일을 미루는 경향이 있습니다. 우선 순위 설정의 어려움은 우리가 어떤 일을 먼저 해야 할지 결정하는 데 어려움을 겪을 때, 일을 미루는 경향이 있습니다. 마지막으로, 동기 부여의 부족은 우리가 일을 시작하거나 완료하는 데 필요한 동기를 느끼지 못할 때, 일을 미루는 경향이 있습니다.

이러한 원인들을 이해하고 정의함으로써, 우리는 문제를 효과적으로 해결하는 데 필요한 전략을 개발할 수 있습니다. 이를 위해서는 원인과 결과 사이의 관계를 분석하고, 이를 바탕으로 개인화된 해결책을 찾아내는 과정이 필요합니다. 이 과정은 자신의 생각과 행동 패턴을 자각하고, 이를 개선하는 데 중요한 역할을 합니다.

미루는 습관은 많은 사람들이 겪는 문제로, 이를 극복하기 위해서는 첫걸음을 내딛는 것이 중요합니다. 작은 목표를 설정하고, 즉각적인 행동을 시작하며, 꾸준히 실천해보세요. 자기 반성, 긍정적인 자기 대화, 지원 시스템 등을 통해 미루는 습관을 극복하고, 더 나은 삶을 살 수 있습니다. 지금 당장 작은 목표를 설정하고, 이를 실천해보세요. 작은 행동이 모여 큰 변화를 이끌어낼 것입니다.

자기 인식: 스스로의 행동을 인지하고 이해하는 과정입니다. 예를 들어, 매일 저녁이 되면 그 날 동안 어떤 행동을 했는지, 어떤 결정을 내렸는지 돌아보는 시간을 가지는 것이 좋습니다. "오늘은 어떤 일을 미루었는지"와 "그 일을 왜 미루게 되었는지"에 대해 깊이 반성하는 시간을 가지는 것이 유익합니다.

작은 목표 설정: 미루는 습관을 극복하는데는 큰 목표보다 작은 목표를 설정하는 것이 더 효과적입니다. 예를 들어, "매일 10분씩 운동하기"나 "하루에 5페이지씩 책 읽기"와 같은 단순하면서도 구체적인 목표를 설정해보세요. 이같은 작은 목표들은 큰 목표를

달성하는데 있어서 중요한 첫걸음이 될 수 있습니다. 그리고 이런 목표를 꾸준히 실천하면서 작은 성취감을 느껴보세요.

즉각적인 행동: 결정을 내린 후에는 바로 행동을 시작하는 것이 중요합니다. 예를 들어, "5초의 법칙"을 활용해보세요. 이는 결정을 내린 후 5초 안에 행동을 시작하라는 원칙으로, 미루는 습관을 줄이는 데 큰 도움이 됩니다.

계획과 시간 관리: 하루의 일과를 미리 계획하고 그 계획에 따라 중요한 일부터 차근차근 처리하는 습관을 들이는 것이 좋습니다. 예를 들어, 아침에 일어나서 당일의 일정을 적어두고, 그 일정을 순서대로 완료하는 것은 시간을 효율적으로 관리하는 데 도움이 됩니다.

자기 반성과 피드백: 매일 저녁에 그날의 행동을 돌아보고, 어떤 일을 미루었는지, 그 일을 왜 미루었는지에 대해 생각하는 것이 좋습니다. 예를 들어, "오늘은 무슨 일을 미루었는지", "그 일을 왜 미루었는지"를 적어보고, 그에 대한 개선 방안을 고민해보는 것이 중요합니다.

긍정적인 자기 대화: "나는 할 수 있어", "지금 시작해보자"와 같은 긍정적인 말을 스스로에게 해보세요. 예를 들어, 일어나자마자 거울 앞에서 "나는 오늘도 잘 할 수 있어"라고 말하는 것은 하루를 긍정적으로 시작하는 데 큰 도움이 됩니다.

제3장 변화는 부지런한 손에서 자라난다

변화를 이끌어내기 위해서는 미루는 습관을 극복하고 작은 행동부터 시작해야 합니다. 작은 씨앗을 심어 변화의 첫 단계를 시작하고, 효과적인 전략을 통해 실천에 옮기는 것이 중요합니다. 부지런한 행동이 변화를 이루는 데 있어 중요하며, 부지런함을 키워 변화를 이끌어낼 수 있습니다.

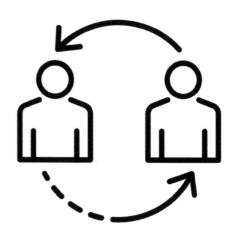

1. 미루는 습관 극복 방법

작은 씨앗 심기 : 변화의 첫 단계

미루는 습관을 극복하는 방법은 바로 작은 변화부터 시작하는 것입니다. 우리가 고수하려는 습관이나 목표가 너무 크고 어렵게 느껴질 때, 그것을 시작하는 것은 두려운 일이 될 수 있습니다. 그러나 이러한 두려움을 극복하는 가장 좋은 방법은 바로 작은 변화부터 시작하는 것입니다.

생각해보세요. 우리가 거대한 나무를 보면 그것이 어떻게 커다란 것이 되었는지 상상하기도 어렵죠. 하지만 그 나무 역시 작은 씨앗에서 시작된 것이라는 사실을 알고 있습니다. 이처럼 변화도 마찬가지입니다. 큰 변화는 작은 변화들이 모여 만들어진 것이니까요.

그럼 우리는 어떻게 작은 변화를 시작할 수 있을까요? 어떻게 우리는 우리의 일상에 이러한 작은 변화를 적용할 수 있을까요? 다음은 이러한 작은 변화를 시작하는 데 도움이 될 수 있는 몇 가지 방법을 제시해봅니다.

작은 목표 설정: 큰 목표를 달성하기 위해서는 소규모의 목표를 먼저 설정하는 것이 중요합니다. 예를 들어, "운동하기"라는 큰 목표보다는 "하루에 10분씩 걷기"라는 작은 목표를 설정하는 것입니다. 작은 목표를 설정하면 부담감이 줄어들고 쉽게 시작할 수 있습니다. 또한, 이러한 작은 목표를 달성함으로써 성취감을 느낄 수 있고, 이 성취감은 우리에게 더 큰 변화를 이루기 위한 동기를 부여합니다.

단기 목표와 장기 목표의 균형: 큰 꿈이나 비전을 달성하기 위해서는 단기 목표와 장기 목표를 모두 설정해야 합니다. 예를 들어, "6개월 안에 체중 5kg 감량하기"라는 장기 목표를 설정하고, 그러기 위해 "이번 주에 3번 운동하기"라는 단기 목표를 설정하는 것입니다.

이렇게 하면, 단기 목표를 통해 성취감을 느끼고, 장기 목표를 달성하기 위한 동기를 유지할 수 있습니다.

구체적이고 측정 가능한 목표 설정: 목표를 설정할 때는 추상적인 목표보다는 구체적이고 측정 가능한 목표를 설정하는 것이 좋습니다. 예를 들어, "더 많은 책을 읽기"라는 추상적인 목표보다는 "매일 10페이지씩 책 읽기"와 같이 구체적이고 측정 가능한 목표를 설정하는 것입니다. 이렇게 하면 우리는 진행 상황을 쉽게 확인할 수 있고, 성취감을 더욱 높일 수 있습니다.

시작의 중요성: 목표를 설정한 후에는 즉각적으로 행동에 옮기는 것이 중요합니다. "시작이 반이다"라는 말이 있듯이, 무엇이든 시작하는 것이 가장 어렵습니다. 그래서 우리는 5초의 법칙을 활용해 결정을 내린 후 5초 안에 행동을 시작해야 합니다. 예를 들어, 운동을 결심했다면 5초 안에 운동복을 입고 나가는 것 등, 즉시 행동에 옮기는 것이 중요합니다.

작은 성공 경험 쌓기: 작은 목표를 달성하고, 이를 통해 작은 성공 경험을 쌓는 것이 중요합니다. 예를 들어, 매일 10분씩 걷기를 달성하면, 그 성취감을 느끼고, 점차 운동 시간을 늘려나갈 수 있습니다. 이렇게 작은 성공 경험이 쌓여 결국에는 큰 성취를 이루게 됩니다. 이 모든 과정을 통해 우리는 미루는 습관을 극복하고, 삶의 질을 향상시킬 수 있습니다.

실패를 두려워하지 않기: 도전 과정에서 실패는 불가피한 부분입니다. 하지만, 이 실패를 두려워하지 않고, 오히려 이를 통해 배울 수 있는 성장의 기회로 받아들이는 것이 중요합니다. 예를 들어, 당신이 새로운 요리를 시도했지만, 처음에는 성공하지 못했다고 칩시다. 이럴 때는 실패를 경험한 것에 집중하기보다, 그 과정에서 얻은 새로운 요리 지식이나 기술에 초점을 맞추는 것이 더 유익합니다.

긍정적인 태도 유지: 성공을 위해서는 긍정적인 태도를 유지하는 것이 중요합니다. 도전에 대한 긍정적인 생각과 기대감은 우리에게 도전에 나설 동기를 제공하며, 우리가 도전을 계속할 수 있는 힘을 줍니다. 예를 들어, "나는 이 일을 할 수 있다"는 긍정적인 자기 확신은 도전을 계속하는데 큰 도움이 됩니다.

철저한 계획과 준비: 도전에 나서기 전에 철저한 계획과 준비를 하는 것이 중요합니다. 예를 들어, 운동을 시작하기 전에 운동 계획을 세우고, 필요한 준비물을 미리 준비하는 것입니다. 이렇게 철저한 계획과 준비는 도전을 위한 확고한 기반을 마련하고, 우리가 도전을 성공적으로 마칠 수 있도록 도와줍니다.

성공을 상상하고 그림 그리기: 성공을 상상하면 우리의 동기를 더욱 높일 수 있습니다. 예를 들어, "6개월 안에 체중 5kg 감량하기"라는 목표를 세웠다면, 그 목표를 달성했을 때의 모습을 상상해보세요. 그러면 그 목표를 향해 더욱 열심히 노력할 수 있습니다.

작은 성취의 축하: 작은 성취를 달성할 때마다 자신을 칭찬하고 이를 축하하는 것이 중요합니다. 이는 자신의 발전을 인정하고, 성취를 통해 얻을 수 있는 기쁨을 경험하는 것이 중요합니다.

예를 들어, "하루에 10분씩 걷기"라는 작은 목표를 성공적으로 달성했다면, 이를 축하하고 자신을 칭찬해보세요. 이는 자신의 성취를 인정하고, 성취를 통해 얻을 수 있는 기쁨을 느낄 수 있습니다.

실천 가능한 전략들 : 행동으로 옮기기

우리는 미루는 습관을 극복하기 위해 구체적인 전략을 세우고 이를 실행하는 것이 필요합니다. 작은 목표를 설정하고 꾸준히 실천하는 것이 중요합니다. 시간 관리, To-Do 리스트 작성, 시간 차단 기법 사용, 장애물 제거, 긍정적인 강화, 책임감 부여, 주기적인 점검과 피드백, 그리고 자기 반성 및 개선 등의 전략을 통해 미루는 습관을 극복하면 더 나은 삶을 살 수 있습니다.

지금 당장 작은 목표를 설정하고 실행해보세요. 그러면 작은 행동들이 모여 큰 변화를 만들어낼 것입니다.

시간 관리 : 하루의 일과를 계획하고, 중요한 일부터 처리하도록 습관을 들이는 것이 중요합니다. 이를 위해 아침에 가장 중요한 업무를 먼저 처리하고, 나머지 시간을 다른 일에 사용하도록 합시다. 일정 관리 앱을 활용해 일정을 관리하거나, 아침에 하루의 계획을 세워보는 등의 방법을 사용해보세요. 이렇게 시간을 효율적으로 관리하면 미루는 습관을 줄일 수 있고 생산성을 높일 수 있습니다.

To-Do 리스트 활용 : 해야 할 일을 목록으로 정리하면 해야 할 일이 명확해지고, 하나씩 체크하면서 성취감을 느낄 수 있습니다. 스마트폰의 메모 앱이나 투두리스트 앱을 활용하여 오늘 해야 할 일을 목록으로 작성하고, 하나씩 완료할 때마다 체크하는 것이 좋습니다. 이를 통해 우리는 목표를 시각적으로 확인하고 동기를 유지할 수 있습니다.

시간 차단 기법 활용 : 특정 시간 동안 하나의 일에 집중하는 것이 좋습니다. '포모도로 기법'이라는 25분 동안 집중하고 5분 동안 휴식하는 방법을 사용해보세요. 이 외에도 휴대폰을 무음으로 하거나, 방해가 되는 앱의 알림을 끄는 등의 방법을 활용해 집중력을 높일 수 있습니다.

장애물 식별 및 제거 : 미루는 습관을 극복하기 위해서는 장애물을 식별하고 제거하는 것이 중요합니다. 집중을 방해하는 요소를 차단하거나, 일하기 좋은 환경을 만드는 것이 필요합니다. 예를 들어, 소셜 미디어의 알림을 꺼서 집중력을 높일 수 있습니다. 또한, 불필요한 잡념이나 걱정사항을 메모해두고 일이 끝난 후에 처리하는 방법도 있습니다.

긍정적인 강화 : 작은 목표를 달성할 때마다 자신에게 작은 보상을 주세요. 이렇게 하면 동기 부여를 높이고, 목표 달성을 지속하게 만듭니다. 예를 들어, 운동을 마친 후 좋아하는 음식을 먹거나, 중요한 업무를 완료한 후 좋아하는 드라마를 보는 것이 좋습니다.

책임감 부여 : 친구나 가족과 목표를 공유하고 그들에게 자신의 진행 상황을 알리는 것이 좋습니다. 이로 인해 책임감을 느끼면 미루는 습관을 줄이고 꾸준히 행동할 수 있게 됩니다. 이를 위해 SNS나 블로그 등에 자신의 목표를 공유하고, 진행 상황을 업데이트하는 방법을 사용해보세요.

주기적인 점검과 피드백 : 매주 자신의 목표 달성 여부를 점검하고, 필요한 경우 목표를 조정하세요. 이를 위해 매주 일요일 저녁에 한 주 동안의 목표 달성 여부를 점검하고, 다음 주의 계획을 세우는 방법을 사용해보세요. 이때, 자신이 잘한 점과 개선해야 할 점을 정리해보세요.

자기 반성과 개선 : 매일 저녁 자기 반성의 시간을 가지며 하루 동안의 행동을 돌아보세요. 무엇을 미루었는지, 왜 미루었는지 생각하고, 개선할 수 있는 방법을 찾아보세요. 이를 위해 일기를 쓰는 습관을 들이는 것도 좋습니다. 이를 통해 미루는 습관을 줄이고 꾸준히 행동을 유지할 수 있습니다.

2. 극복 비책과 비밀병기

성공의 열쇠 : 효과적인 비책과 팁

우리의 일상에서, 미루는 습관은 큰 장애가 될 수 있습니다. 이것은 우리의 생산성을 저하시키고, 우리가 세우고 싶은 목표를 달성하는데 걸림돌이 됩니다. 그렇다면 이러한 미루는 습관을 어떻게 극복해 나갈 수 있을까요?

미루는 습관을 극복하는 것은 쉽지 않습니다. 이는 많은 노력과 꾸준한 연습이 필요한 일입니다. 이를 극복하기 위해서는 먼저 이 습관이 우리에게 어떤 영향을 미치는지 이해해야 합니다. 그다음으로는 이러한 습관을 바꾸는데 도움이 될 수 있는 몇 가지 전략을 적용해 보는 것입니다.

아래에서는 여러 전략들을 소개하였습니다. 이들은 우리가 미루는 습관을 극복하고, 더 효과적이고 생산적인 삶을 살아갈 수 있도록 도와줄 것입니다. 이 전략들을 적용함으로써, 우리는 목표를 설정하고 이를 달성하는 과정에서 자주 발생하는 미루는 습관을 극복할 수 있습니다. 그 결과, 우리는 더 집중력 있는 삶을 살아갈 수 있을 것이며, 이는 우리의 전반적인 생활에도 긍정적인 영향을 미칠 것입니다.

SMART 목표 설정: 우리는 종종 크고 모호한 목표를 세우는 경향이 있습니다. 그러나 이러한 목표는 우리에게 부담을 줄 뿐만 아니라, 달성하기 어렵습니다. 이를 해결하기 위해 SMART 목표를 설정해 보세요. SMART는 Specific(구체적), Measurable(측정 가능), Achievable(달성 가능), Relevant(관련성 있는), Time-bound(시간 제한이 있는)의 약자를 의미합니다.

예를 들어, "체중 감량"이라는 모호한 목표 대신 "6개월 안에 체중 5kg 감량하기"와 같이 구체적이고 시간 제한이 있는 목표를 설정하면, 목표 달성을 위한 구체적인 계획을 세울 수 있습니다. 이러한 계획은 행동의 방향을 제시하고, 달성 가능성을 높여줍니다.

이른 시작: 중요한 일을 가능한 한 빨리 시작하는 것이 중요 합니다. 일을 미루는 대신 아침에 가장 중요한 일을 먼저 처리하면, 하루를 효율적으로 시작할 수 있습니다. 예를 들어, 크고 어려운 프로젝트를 가장 먼저 시작하면, 나머지 작업에 집중하기 쉬워 집니다. 이러한 접근 방식은 일의 우선순위를 결정하는 데 도움이 됩니다.

2분의 법칙: 2분 이내에 끝낼 수 있는 일이라면 바로 처리하는 것이 좋습니다. 이 원칙을 따르면, 작은 일을 미루는 습관을 줄일 수 있습니다. 예를 들어, 간단한 이메일 답장이나 작은 정리 작업은 즉시 처리하여 미루지 않는 습관을 기를 수 있습니다.

작은 목표 달성: 큰 목표를 작은 목표로 나누어 달성하면, 부담감을 줄이고 동기를 부여하는 효과가 있습니다. 예를 들어, "하루에 1시간 운동하기" 대신 "하루에 10분씩 걷기"를 목표로 설정하면, 작은 목표를 달성하면서 성취감을 느낄 수 있고, 이는 더 큰 목표를 향한 동기를 부여할 수 있습니다.

시각화 기법: 목표를 시각적으로 표현하면, 목표를 명확하게 인식하고 동기를 유지하는 데 도움이 됩니다. 예를 들어, 체중 감량 목표를 그림이나 차트 형태로 표현하여 냉장고에 붙이면, 매일 목표를 눈으로 확인하면서 동기를 부여받을 수 있습니다.

우선순위 매기기: 해야 할 일을 목록으로 작성하고, 중요도와 긴급도를 기준으로 우선순위를 매기는 것이 좋습니다. 이렇게 하면 중요한 일을 먼저 처리하도록 돕습니다. 예를 들어, 중요한 프로젝트를 먼저 처리하고, 덜 중요한 이메일 답장은 나중으로 미루는 것입니다.

책임 파트너: 친구나 가족과 함께 목표를 공유하고, 정기적으로 피드백을 주고받는 것이 동기 부여와 책임감을 높이는 데 도움이 됩니다. 예를 들어, 친구와 함께 운동 목표를 세우고, 매주 진행 상황을 공유하면, 다른 사람에게 보고하는 책임감으로 인해 목표 달성을 위해 더 열심히 노력하게 됩니다.

포상 시스템: 작은 목표를 달성할 때마다 자신에게 포상을 주면, 이는 동기 부여를 높이는 효과적인 방법입니다. 예를 들어, 하루 30분씩 운동한 후 좋아하는 간식을 먹거나, 중요한 업무를 완료한 후 영화를 보는 것입니다. 이는 목표 달성의 재미를 느끼게 하고, 계속해서 목표를 달성하려는 동기를 부여합니다.

숨겨진 무기 : 혁신적인 극복 도구

습관을 바꾸는 것은 쉽지 않은 일이며, 이는 미루는 습관을 극복하는 것에도 해당됩니다. 하지만 그 과정은 굳이 대단한 변화가 아닌 작은 변화부터 시작하는 것이 중요합니다. 아무리 작은 변화라도 일상에 적용하면 그 영향력은 크게 느껴지게 될 것입니다.

그렇다면 이러한 작은 변화를 돕는 도구는 무엇이 있을까요? 현대에는 다양한 혁신적인 도구들이 존재하며, 이들은 우리가 습관을 바꾸는 데 큰 도움을 줄 수 있습니다. 따라서 이러한 도구들을 적극 활용해보는 것은 어떨까요? 이를 통해 미루는 습관을 극복하고, 더 생산적인 삶을 살아가는 데 도움이 될 것입니다.

타임 로그 활용 : 가장 먼저, "타임 로그"라는 도구를 활용해 보세요. 이는 하루 동안의 시간 사용을 기록하는 도구로, 이를 통해 비효율적으로 사용된 시간을 파악하고 시간을 효율적으로 관리하는 데 도움이 됩니다. 예를 들면, 하루 동안 소셜 미디어에 사용한 시간을 기록하고, 이를 줄이기 위한 계획을 세울 수 있습니다. 또한 이를 통해 어떤 활동이 시간을 많이 차지하는지, 그리고 어떤 시간에 가장 집중력이 높은지 등을 파악하는 데도 도움이 됩니다.

To-Do 리스트 앱 활용 : 다음으로 "To-Do 리스트 앱"을 활용해 보세요. 해야 할 일을 목록으로 정리하면, 해야 할 일이 명확해지고, 하나씩 체크하면서 성취감을 느낄 수 있습니다. 예를 들어, Todoist, Trello와 같은 앱을 사용하면 오늘 해야 할 일을 목록으로 작성하고, 하나씩 완료할 때마다 체크하는 것이 가능합니다. 이를 통해 목표를 시각적으로 확인하고 동기를 유지할 수 있습니다. 또한 이들 앱을 활용하면 일과를 우선순위별로 정리하거나, 알림 기능을 통해 일정을 잊지 않도록 도와줍니다.

시간 차단 앱 활용 : "시간 차단 앱"을 활용하면 특정 시간 동안 하나의 일에 집중할 수 있도록 도와줍니다. Focus@Will, Freedom과 같은 앱을 사용하면, 집중할 시간을 설정하고 방해 요소를 차단하는 것이 가능합니다. 이는 집중력을 높이고, 일을 미루지 않고 처리하는 데 도움이 됩니다. 또한 이를 통해 휴대폰 사용 시간을 제한하거나, 인터넷 접속을 제한하는 등의 기능을 활용해 불필요한 방해를 줄일 수 있습니다.

생산성 앱 활용 : 그 외에도 다양한 생산성 앱을 활용해보세요. 예를 들어, 시간 관리 앱(Toggl, Clockify)을 사용하면 자신의 시간을 관리하고, 해야 할 일을 효율적으로 처리하는 것이 가능합니다. 이들 앱은 일과의 시작과 종료 시간을 기록하고, 어떤 일에 얼마나 시간을 사용했는지 분석하는 것이 가능해 시간 사용 패턴을 파악하는 데 도움이 됩니다.

디지털 디톡스 앱과 마인드풀니스 앱 활용 : 디지털 디톡스 앱과 마인드풀니스 앱도 도움이 될 수 있습니다. 디지털 디톡스 앱은 소셜 미디어나 기타 디지털 기기의 사용을 제한하는 데 도움이 되며,

마인드풀니스 앱은 명상과 마음 챙김을 통해 스트레스와 불안을 관리하는 데 도움이 됩니다. 이를 통해 디지털 기기에 의존하는 습관을 줄이고, 마음의 안정을 찾을 수 있습니다.

주기적인 점검 도구와 자기 반성 도구 활용 : 마지막으로, 주기적인 점검 도구와 자기 반성 도구를 활용하여 자신의 진행 상황을 점검하고 자신의 행동을 돌아보는 것도 중요합니다. 주간 계획표를 작성하고, 매주 일요일 저녁에 한 주 동안의 목표 달성 여부를 점검하는 것처럼요. 이는 진행 상황을 체크하고, 목표를 재조정하거나 다음 주의 계획을 세우는 데 도움이 됩니다. 또한 하루의 마지막 시간에는 자신의 행동을 돌아보고, 어떤 일을 잘 했는지, 어떤 일을 개선할 필요가 있는지를 생각하는 자기 반성의 시간을 가져보세요.

이처럼, 미루는 습관을 극복하는 데에는 다양한 도구를 활용하는 것이 중요합니다. 이 도구들은 꾸준한 행동을 유지하고 미루는 습관을 줄이는 데에 큰 도움이 되니, 한 번 활용해보세요.

3. 노력 이상의 접근법

새로운 접근법의 필요성 : 노력 이상의 방법

변화를 이루는 데는 단순한 노력만으로는 부족합니다. 때때로, 우리가 기존에 알고 있는 방법들을 사용하더라도 원하는 결과를 얻지 못하는 경우가 있습니다. 이런 상황에서 우리는 종종 저희의 한계를 느끼게 되며, 이는 변화를 이루는 데 있어 중요한 역할을 합니다. 이 한계를 인식하는 것은 우리에게 새로운 방법을 찾아보고, 변화를 이루기 위한 새로운 접근 방식을 모색하게끔 합니다.

이럴 때 필요한 것은 바로 노력 외의 다른 접근법입니다. 노력만으로는 해결되지 않는 문제나 상황에 대해서는 새로운 관점이나 다른 방식을 사용해야 합니다. 이는 문제를 더 깊이 이해하고, 더 효과적인 해결책을 찾는 데 도움이 될 것입니다.

이해와 인식의 중요성: 우리는 종종 미루는 습관을 단순히 게으름이나 부주의로 여기는 경향이 있습니다. 하지만 이것은 문제 해결에 큰 도움이 되지 않습니다. 대신, 우리는 미루는 습관의 근본적인 원인을 이해하고 인식하는 것이 중요합니다. 이러한 원인은 불안, 스트레스, 자존감 문제 등 다양한 심리적 요인에서 비롯될 수 있습니다. 예를 들어, 우리는 복잡한 프로젝트를 시작하는 것을 미루는 이유를 '게으름'이라고 생각할 수 있지만, 이것은 우리가 그 프로젝트를 완료하지 못할 것이라는 두려움, 즉 자존감 문제로 인한 것일 수 있습니다.

자기 동기 부여의 재발견: 우리가 목표를 달성하려고 하는 이유를 깊이 이해하고 재발견하는 것이 중요합니다. 이는 우리가 그 목표를 이루고자 하는 내적 동기를 찾아내는데 도움이 됩니다. 예를 들어, 우리가 '운동하기'라는 목표를 세울 때, 그 이유가 단순히 '체중 감량'이라면 이는 외부적인 동기입니다. 그러나 '건강한 삶을 살고 싶다'는 내적인 동기를 찾아내면, 이는 우리에게 더욱 강력한 동기부여가 될 수 있습니다.

정서적 유연성: 변화와 어려움에 대처하는 능력인 정서적 유연성을 기르는 것이 중요합니다. 이는 우리가 실패에 대한 두려움을 극복하고, 실패를 성장의 기회로 바라볼 수 있게 합니다. 예를 들어,

우리가 새로운 프로젝트를 시작할 때, 그것이 실패할 가능성에 대한 두려움을 느낄 수 있습니다. 그러나 이러한 두려움을 극복하고, 실패를 경험해보면 이는 우리에게 성장의 기회가 됩니다.

자기 돌봄과 웰빙: 우리의 신체적, 정신적 건강을 유지하는 것은 생산성과 동기를 높이는 데 필수적입니다. 이는 우리가 충분한 수면을 취하고, 규칙적인 운동을 하고, 건강한 식습관을 유지하는 것을 포함합니다. 예를 들어, 우리가 매일 8시간의 수면을 취하고, 하루 30분 이상의 유산소 운동을 하며, 과일과 채소를 충분히 섭취하는 것이 좋습니다.

행동 변화의 과학: 행동 경제학과 심리학 연구는 우리에게 미루는 습관을 극복하는 데 효과적인 전략을 제시합니다. 이는 자신의 행동을 제한하는 규칙을 만들어 미루는 습관을 방지하는 '자기 제한 기법'을 포함합니다. 예를 들어, 우리는 자신이 너무 많은 시간을 소셜 미디어에 소비하는 것을 방지하기 위해 하루에 소셜 미디어를 사용하는 시간을 한정하는 규칙을 만들 수 있습니다.

이 다섯 가지 접근법을 활용하면 미루는 습관을 극복하고 삶의 질을 향상시킬 수 있습니다. 복잡해 보이는 내용을 간단하게 설명하자면, 심리적인 요인을 이해하고 내부 동기를 찾아내는 동시에 변화에 대한 유연성을 길러나가는 과정입니다. 이 과정에서 자신을 돌보고 '과학'을 활용하면 미루는 습관을 극복하고 삶의 질을 향상시킬 수 있습니다.

변화의 도구 : 행동 촉진을 위한 혁신적 방법

변화는 사소한 것에서 시작됩니다. 큰 나무가 되기 위해서는, 작은 씨앗부터 심어져야 합니다. 이 작은 씨앗은 시간이 지나면서 점점 커지고, 결국 큰 나무로 자라납니다. 이와 유사하게, 작은 습관의 변화가 모여 큰 변화를 만들어낼 수 있습니다.

이러한 변화를 위해서는 우리 스스로가 변화의 필요성을 인지하고, 해당 행동을 취해야 합니다. 특히 '미루는 습관'을 바꾸는 것이 중요합니다. 이를 극복하기 위해, 다양한 혁신적인 방법들이 도입되고 있습니다.

이 방법들을 이용하여 미루는 습관을 극복하고, 변화를 가져올 수 있습니다. 이렇게 작은 변화들이 모여, 우리의 삶을 크게 바꿀 수 있습니다. 따라서, 우리 모두가 미루는 습관을 극복하는 노력을 해야 합니다. 이를 통해, 우리는 더 나은 삶을 만들 수 있습니다.

이를 위해, 미루는 습관을 극복하는 몇 가지 혁신적인 방법을 소개하겠습니다.

행동 촉진 환경 조성: 환경은 우리 행동에 큰 영향을 미칩니다. 따라서 우리의 환경을 변화시키는 것은 행동의 변화를 촉진하는 데 매우 중요합니다. 예를 들어, 잡음이 많은 환경에서는 집중하는 것이 어렵습니다. 이를 해결하기 위해 조용한 공간을 찾거나 헤드폰을 착용하여 주변 소음을 차단할 수 있습니다. 또한, 작업 환경을 깔끔하게 정리하면 집중력을 높이고 생산성을 향상시킬 수 있습니다.

보상 시스템 구축: 우리는 행동에 대한 보상을 받을 때 그 행동을 더 자주 하려는 경향이 있습니다. 따라서 우리가 원하는 행동을 할 때마다 작은 보상을 제공하는 것이 도움이 될 수 있습니다. 예를 들어, 목표를 달성했을 때 좋아하는 간식을 먹거나 취미 활동 시간을 갖는 등의 보상을 줄 수 있습니다. 이렇게 하면 행동을 유지하고 확장하는 데 도움이 됩니다.

사회적 지지 활용: 우리는 사회적 동물입니다. 따라서 다른 사람들의 지지와 격려는 우리의 행동을 크게 변화시키는 데 도움이 됩니다. 친구나 가족에게 우리의 목표를 공유하고, 그들로부터 지지와 격려를 받는 것이 도움이 될 수 있습니다. 이렇게 하면 행동을 지속하는 데 필요한 동기를 얻을 수 있습니다.

행동 유도 장치: 우리는 행동을 유도하는 장치를 통해 미루는 습관을 극복할 수 있습니다. 예를 들어, "하루에 1시간 독서하기"라는 목표가 있다면, 간단하게 시간을 설정하고 알람을 울리는 타이머를 사용할 수 있습니다. 이러한 장치는 우리가 원하는 행동을 촉진하는 데 도움이 됩니다.

게임화 기법: 게임은 우리에게 높은 동기를 주고, 우리가 원하는 행동을 촉진하는 데 매우 효과적입니다. 따라서 우리의 목표를 달성하는 것을 게임처럼 만드는 것이 도움이 될 수 있습니다. 예를 들어, 운동 목표를 달성할 때마다 점수를 얻고, 일정 점수를 모을 때마다 보상을 받는 등의 게임을 만들어볼 수 있습니다.

마인드풀니스와 명상: 스트레스는 미루는 습관을 촉진하는 주요한 요인 중 하나입니다. 따라서 스트레스를 관리하는 것이 매우

중요합니다. 마인드풀니스와 명상은 스트레스를 줄이고 우리의 마음을 집중하는 데 매우 효과적인 방법입니다. 이를 통해 우리는 명확한 마음으로 우리의 목표에 집중할 수 있습니다.

디지털 도구와 앱: 현대 기술은 우리의 행동을 변화시키는 데 매우 효과적입니다. 따라서 다양한 디지털 도구와 앱을 활용하여 우리의 행동을 변화시키는 것이 도움이 될 수 있습니다. 예를 들어, 목표 설정과 진행 상황 추적, 시간 관리 등을 도와주는 다양한 앱이 있습니다.

습관 형성 앱: 습관은 우리의 행동을 크게 결정짓습니다. 따라서 우리가 원하는 습관을 형성하는 것이 매우 중요합니다. 습관 형성 앱은 우리가 원하는 습관을 형성하고 유지하는 데 매우 효과적입니다.

일지와 저널: 우리의 행동과 생각을 기록하는 것은 우리가 어떤 행동을 하는지, 왜 그런 행동을 하는지를 이해하는 데 매우 도움이 됩니다. 따라서 우리의 행동과 생각을 일기나 저널에 기록하는 것이 도움이 될 수 있습니다.

피드백 루프: 우리의 행동을 지속적으로 점검하고 개선하는 것은 우리의 행동을 변화시키는 데 매우 중요합니다. 따라서 주기적으로 우리의 행동을 점검하고 필요한 경우 개선하는 것이 도움이 될 수 있습니다.

4. 즉각 행동의 중요성

5초의 법칙 : 신속한 실행의 중요성

즉각적인 행동은 미루는 습관을 극복하는 데 중요한 역할을 합니다. 이러한 행동 패턴을 바꾸는 것은 우리가 일상적인 일들을 더 효율적으로 처리하는 데 도움이 됩니다. 이중에서 "5초의 법칙"은 이러한 습관을 바꾸는 데 효과적인 방법 중 하나입니다. 5초의 법칙은 결정을 내린 후 5초 안에 행동을 시작함으로써 미루는 행동을 방지하는 기법입니다.

이는 우리의 일상적인 생활과 업무에 큰 영향을 미칠 수 있습니다. 그렇다면 "왜 5초의 법칙이 중요한가요?"라는 질문이 생깁니다. 이 법칙은 우리가 결정을 내리고 즉시 행동에 옮기는 것을 돕기 때문에, 이를 통해 우리의 생산성이 향상될 수 있습니다.

결정과 행동의 연결 :5초의 법칙은 결정을 내리고 즉각적으로 행동하는 것을 촉진합니다. 이를 통해, 우리 뇌가 결정을 내린 후에 변명을 찾기 시작하는 것을 방지할 수 있습니다. 예를 들어, "운동을 해야지"라는 결정을 내린 후에 "내일 할래" 또는 "좀 더 쉬었다가 할래"와 같은 변명을 하기 시작하는 것을 막을 수 있습니다. 즉, 5초 안에 행동을 시작하면, 변명을 할 시간을 주지 않고 즉각적으로 행동을 취할 수 있습니다. 이렇게 하면, 우리는 우리의 목표를 더 빠르게 달성할 수 있습니다.

두려움과 저항의 극복:5초의 법칙은 두려움과 저항을 극복하는 데 도움이 됩니다. 많은 경우 우리는 두려움이나 저항감 때문에 행동을 미루게 됩니다. 예를 들어, 중요한 발표를 앞두고 두려움 때문에 준비를 미루게 됩니다. 하지만, 5초의 법칙을 사용하면, 두려움이나 저항감을 느끼기 전에 행동을 시작할 수 있습니다. 이렇게 하면, 우리는 두려움을 극복하고, 더 자신감 있게 행동할 수 있게 됩니다.

행동의 자동화: 5초의 법칙은 반복적인 행동을 통해 새로운 습관을 형성하는 데 도움이 됩니다. 매일 5초의 법칙을 사용하여 즉각적인 행동을 실천하면, 점차 행동이 자동화되고 우리는 더 쉽게 목표를 달성할 수 있게 됩니다. 예를 들어, 매일 아침 알람이 울리자마자 5초 안에 일어나는 습관을 들이면, 점차 알람이 울리면 자동으로 일어나게 됩니다. 이처럼, 5초의 법칙은 습관 형성을 촉진하고, 미루는 습관을 극복하는 데 도움이 됩니다.

결정 피로의 감소: 결정 피로는 우리가 많은 결정을 내리면서 피로를 느끼는 현상입니다. 5초의 법칙은 이러한 결정 피로를 줄이는 데 도움이 됩니다. 즉각적인 행동을 통해 반복적인 결정을 줄이고, 중요한 결정을 내리는 데 더 많은 에너지를 사용할 수 있습니다. 예를 들어, 운동을 할지 말지를 고민하는 대신, 5초 안에 결정을 내리고 행동을 시작하면 결정 피로를 줄일 수 있습니다.

자신감과 성취감의 증가: 5초의 법칙을 실천하면 자신감과 성취감이 증가합니다. 작은 행동을 통해 목표를 달성하는 경험은 자신감을 높이고, 더 큰 도전에 나설 용기를 줍니다. 예를 들어, 5초 안에 책상 정리를 시작하고, 이를 완료하면 성취감을 느끼고, 더 많은 일을 해내고자 하는 동기가 생깁니다. 이러한 경험은 미루는 습관을 극복하고, 더 나은 성과를 이루는 데 도움이 됩니다.

순간의 힘: 5초가 5년을 바꾼다

즉각적인 행동은 우리 삶에 큰 변화를 가져올 수 있습니다. 이는 작은 순간의 행동이 쌓여 큰 변화를 이끌어내기 때문입니다. 그렇다면, "단지 5초의 순간이 어떻게 우리의 삶을 바꿀 수 있을까요?"라는 질문을 해보면, 이는 당신의 생각을 들여다보고 거기에서 답을 찾는 데 도움을 줄 것입니다. 이를 통해 우리가 가진 시간의 소중함을 깨달을 수 있습니다.

5초의 법칙은 즉각적인 행동을 촉진하고, 미루는 습관을 극복하는 데 효과적입니다. 결정 후 5초 이내에 행동을 시작하면, 두려움과 저항을 극복하고, 행동을 자동화하며, 결정 피로를 줄이고, 자신감과 성취감을 높일 수 있습니다. 이처럼 작은 행동이 모여 큰 변화를 이끌어낼 수 있습니다. 지금 바로 5초의 법칙을 실천해보세요. 이 작은 행동이 큰 변화를 이끌어낼 것입니다.

작은 행동의 누적 효과: 작은 행동이 반복되면 큰 변화를 가져올 수 있습니다. 이는 '5초의 법칙'을 통해 매일 작은 행동을 실천하면, 이는 장기적으로 큰 성취로 이어지는 원리입니다. 예를 들어, 매일 5초 안에 책 읽기를 시작하고, 이를 꾸준히 실천하면, 1년 후에는 많은 책을 읽게 됩니다. 이처럼, 하루에 한 두 페이지씩 책을 읽는 것만으로도, 1년이 지나면 수백 페이지의 책을 읽게 되는 것입니다. 이는 작은 행동이 쌓여 큰 성취를 이루는 구체적인 예시입니다.

즉각적인 변화의 시작: 즉각적인 행동은 변화를 시작하는 중요한 요소입니다. 많은 사람들이 변화를 원하지만, 행동으로 옮기지 않아서 변화를 이루지 못하는 경우가 많습니다. 그러나 '5초의 법칙'을 통해 즉각적인 행동을 시작하면, 변화의 첫걸음을 내딛게 됩니다. 예를 들어, 새로운 습관을 들이고 싶다면, 5초 안에 행동을 시작하여 변화를 시작할 수 있습니다. 이처럼, 미루지 않고 즉시 행동을 시작하면, 변화를 빠르게 시작하고 이를 유지할 수 있습니다.

목표 달성의 가속화: 즉각적인 행동은 목표 달성을 가속화합니다. 미루지 않고 즉각적으로 행동하면, 목표를 더 빨리 달성할 수 있습니다. 예를 들어, 운동 목표를 달성하기 위해 매일 5초 안에 운동을 시작하면, 목표 달성 속도가 빨라집니다. 이는 목표 달성의 동기를 높이고, 더 큰 성취를 이루는 데 도움이 됩니다. 이처럼, 즉각적으로 행동을 시작하면, 목표 달성이 빠르게 이루어지며, 이는 더 큰 동기부여가 되어 목표 달성을 가속화합니다.

결정과 행동의 일관성: 즉각적인 행동은 결정과 행동의 일관성을 유지하게 합니다. 우리는 종종 결정을 내리고도 행동으로 옮기지 않아 목표를 이루지 못하는 경우가 많습니다. 그러나 '5초의 법칙'을 통해 결정을 내린 후 즉각적으로 행동하면, 결정을 행동으로 일관되게 이어갈 수 있습니다. 이는 목표 달성에 중요한 역할을 합니다. 이처럼, 즉각적인 행동은 결정과 행동의 일관성을 유지하며, 이는 목표 달성에 필요한 중요한 요소입니다.

삶의 질 향상: 즉각적인 행동은 삶의 질을 향상시킵니다. 미루지 않고 즉각적으로 행동하면, 스트레스와 불안을 줄이고, 더 많은 성취감을 느낄 수 있습니다.

예를 들어, 중요한 일을 미루지 않고 즉각적으로 처리하면, 스트레스를 줄이고, 더 많은 시간을 여유롭게 보낼 수 있습니다.

이는 전반적인 삶의 질을 높이는 데 도움이 됩니다. 이처럼, 미루지 않고 즉각적으로 행동을 시작하면, 일상의 스트레스를 줄이고 삶의 질을 향상시킬 수 있습니다.

5. 혁신적인 행동 촉진 방법

변화의 불꽃: 행동 부스팅 기술

우리는 변화를 이루기 위해 미루는 습관을 극복하고 행동을 촉진해야 합니다. 이를 위해 다양한 전략과 기술이 필요합니다. 넛지 이론, 실행 의도, 습관 쌓기, 게임화, 시간적 이정표, 약속 장치, 환경 설계 등의 행동 부스팅 기술을 활용하고, 일상 의식, 작은 승리, 책임 파트너, 진행 상황 추적, 긍정적 강화, 시각적 알림, 아침 루틴, 저녁 반성, 이정표 축하 등을 통해 꾸준히 행동하세요. 이렇게 작은 행동들이 모여 큰 변화를 만들어갑니다.

그 중에서도 우선 순위에 따라 중요한 몇 가지 전략을 살펴보겠습니다.

넛지 이론(Nudge Theory): 넛지 이론은 사람들의 행동을 부드럽게 유도하는 방법입니다. 작은 변화를 통해 큰 결과를 만들어낼 수 있습니다. 건강한 식습관을 형성하려면, 건강한 음식을 눈에 잘 띄는 곳에 놓고, 간식이나 불건강한 음식은 보이지 않는 곳에 두는 것이 좋습니다. 이렇게 하면 자연스럽게 건강한 음식을 선택하는 습관을 형성할 수 있습니다. 이 방법은 건강한 음식을 선호하는 식습관 외에도 일상 생활의 다양한 분야에서 적용 가능합니다.

실행 의도(Implementation Intentions)**:** 이는 "If-Then" 계획을 세우는 것으로, 특정 상황에 대한 반응을 미리 계획함으로써 행동을 촉진하는 방법입니다. 예를 들어, "만약 내일 비가 오면 우산을 챙겨야겠다"와 같은 계획을 세우는 것이 중요하며, 이러한 미리 세운 계획은 행동을 시작하고 지속하는 데 도움을 줍니다.

습관 쌓기(Habit Stacking)**:** 이 방법은 기존에 가지고 있는 습관 위에 새로운 습관을 추가함으로써, 새로운 행동을 더 쉽게 형성하고 지속하는 데 도움을 줍니다. 예를 들어, 아침에 일어나서 커피를 마시는 습관이 있다면, 그 습관에 이어서 '커피를 마신 후 10분간 스트레칭을 하는' 습관을 추가해보세요. 이런 방식으로 기존 습관과 새로운 습관을 연결하면 새로운 행동을 더 쉽게 시작하고 지속할 수 있습니다.

게임화(Gamification)**:** 이는 게임의 요소를 생활에 도입하여 목표 달성을 재미있게 만드는 방법입니다. 예를 들어, 달성한 목표마다 포인트를 부여하고, 그 포인트를 모아서 보상을 받는 시스템을 만들 수 있습니다. 이런 방식은 매일의 일과를 더욱 재미있게 만들며, 자신이 원하는 습관 형성이나 목표 달성을 위한 다양한 게임을 만드는 데 활용할 수 있습니다.

시간적 이정표(Temporal Landmarks)**:** 새로운 시작을 알리는 중요한 시점을 이용하여 행동을 촉진하는 방법입니다. 새해, 생일, 월요일 등의 시간적 이정표를 활용하여 새로운 목표를 설정하고 행동을 시작하는 것이 좋습니다. 이 아이디어를 확장하면, 개인이나 팀의 특별한 날들을 이용하여 새로운 목표를 설정하고, 그 날들을 새로운 행동의 시작점으로 활용하는 것이 좋습니다.

약속 장치(Commitment Devices): 자신에게 책임을 부여하여 행동을 촉진하는 방법입니다. 목표 달성을 위해 자신이 설정한 규칙을 지키지 못할 경우 불이익을 받는 장치를 설정하는 것이 좋습니다. 이 아이디어를 확장하면, 목표 달성을 위한 다양한 약속 장치를 만들 수 있습니다.

환경 설계(Environmental Design): 환경설계는 행동을 독려하기 위해 환경을 조절하는 기법입니다. 이는 행동을 쉽게 시작하고 지속할 수 있도록 환경을 변화시키는 것을 의미합니다. 예를 들어, 공부에 집중하기 어려울 경우 조용한 공간을 마련하고 방해요소를 제거하는 것이 좋습니다. 이 아이디어는 다양한 환경에 적용될 수 있습니다. 주방을 설계할 때 가장 자주 사용하는 도구를 손쉽게 접근 가능한 곳에 배치하거나, 집에서 운동을 할 때 운동기구를 잘 보이는 곳에 놓는 것 등이 그 예입니다.

성공 상상(Imagining Success): 성공 상상은 행동을 시작하기 전에 그 행동이 성공적으로 이루어질 것이라고 상상하는 것입니다. 이는 우리가 도전에 대한 용기를 북돋아주고 도전을 지속할 수 있는 동기를 제공합니다. 예를 들어, 운동을 시작하기 전에 이미 운동을 완료하고 건강해진 자신을 상상하는 것입니다. 이 아이디어 다양한 목표에 대해 성공 상상을 할 수 있습니다. 대화를 시작하기 전에 이미 원활한 대화가 이루어지는 상황을 상상하거나, 프로젝트를 시작하기 전에 이미 프로젝트를 성공적으로 완료하는 상황을 상상하는 것입니다.

작은 성취 축하(Celebrating Small Achievements): 작은 성취를 이룰 때마다 자신을 칭찬하고 이를 축하하는 것이 중요합니다. 이는 지속적인 동기부여와 성취감을 높이는 데 도움이 됩니다. 예를 들어, 하루에 2리터 물을 마시는 목표를 세웠다면, 물을 마실 때마다 자신을 칭찬하고 이를 축하하는 것입니다. 이 아이디어는 다양한 목표에 대해 작은 성취를 축하할 수 있습니다. 하루에 1장의 책을 읽는 목표를 세웠다면, 책을 읽을 때마다 자신을 칭찬하고 이를 축하하는 것입니다.

피드백과 조정(Feedback and Adjustment): 도전과 극복 과정에서의 피드백을 받고 필요에 따라 목표를 조정하는 것이 중요합니다. 이는 좋은 결과를 위해 필요한 변화를 수용하고, 항상 개선을 위한 노력을 지속하는 것을 의미합니다. 예를 들어, 운동 중에 몸이 아프다면 운동 방법이나 운동량을 조정하는 것입니다. 이 아이디어는 다양한 목표와 행동에 대해 피드백을 받고 조정을 할 수 있습니다. 공부하면서 집중이 잘 안된다면, 공부 방법을 바꾸거나 공부 환경을 조정하는 것입니다.

이러한 전략들을 활용하여 우리는 미루는 습관을 극복하고 변화를 만들 수 있습니다. 복잡한 내용도 친구에게 설명하듯이 간단하고 이해하기 쉽게 풀어내면, 더 큰 변화를 이룰 수 있는 첫걸음을 내딛을 수 있습니다.

매일의 실천: 꾸준한 행동의 힘

변화는 꾸준한 행동에서 시작된다. 미루는 습관을 극복하고 싶다면 작은 변화부터 실천해봅시다. 하루를 건강하게 시작하는 아침 루틴, 작은 목표를 세우고 이를 달성하며 성취감을 느끼는 작은 승리, 동료와 함께 목표를 공유하고 서로를 격려하는 책임 파트너, 이 모든 것들이 꾸준한 행동의 흐름을 만들어내는 열쇠입니다.

아침 6시에 일어나 30분 동안 운동을 하는 것은 하루를 시작하는 좋은 아침 루틴입니다. 이렇게 하루를 긍정적으로 시작하면 우리의 하루가 활동적이고 건강하게 보낼 수 있습니다. 또한, "하루에 10페이지씩 책 읽기"라는 작은 목표를 성공적으로 이루면, 이것은 작은 승리입니다. 이렇게 작은 성취감이 모여 큰 동기를 만들어냅니다.

책임 파트너는 목표 달성을 위한 중요한 동료입니다. 친구나 가족, 동료와 함께 목표를 공유하고, 서로의 진행 상황을 점검하면서 책임감을 느끼게 합니다. 예를 들어, 친구와 함께 운동 목표를 세우고, 매주 진행 상황을 공유하면 서로를 격려하고 동기를 부여할 수 있습니다.

목표 달성을 위해 진행 상황을 기록하고 추적하는 것도 중요합니다. 매일 운동 시간을 기록하고, 주간 단위로 총 운동 시간을 확인하면, 우리는 우리의 진행 상황을 명확하게 알 수 있습니다. 이는 우리가 얼마나 잘 진행하고 있는지를 알려주며, 필요한 개선 사항을 찾아내는 데 도움이 됩니다.

긍정적 강화는 우리의 행동을 장려하는 강력한 도구입니다. 작은 목표를 달성할 때마다 자신에게 작은 보상을 주는 것이 그 예입니다. 이렇게 하면, 우리는 목표 달성에 대한 긍정적인 감정을 경험하게 되어, 이 행동을 계속하고 싶은 동기를 부여받게 됩니다.

시각적 알림은 우리의 목표를 상기시키는 데 도움이 됩니다. 목표를 그림이나 포스터 등으로 만들어 눈에 잘 보이는 곳에 붙이면, 우리는 매일 그 목표를 볼 수 있습니다. 이는 우리의 목표 의식을 강화하고, 우리의 행동을 목표를 향해 유도하는 데 도움이 됩니다.

저녁에는 하루 동안의 행동을 돌아보는 시간을 갖는 것이 좋습니다. 이는 우리가 어떤 일을 잘했는지, 어떤 일을 개선해야 하는지를 알려주어, 더 나은 내일을 위한 계획을 세울 수 있도록 돕습니다.

이정표를 축하하는 것은 우리의 성취를 인정하고, 우리의 동기를 강화하는 데 도움이 됩니다. 우리가 설정한 큰 목표를 달성했을 때, 그것을 축하하는 것은 우리에게 성취감을 주고, 더 큰 목표를 향해 나아가는 동기를 부여합니다.

이렇게 꾸준한 행동을 통해, 우리는 미루는 습관을 극복하고, 삶의 질을 향상시킬 수 있습니다. 이 모든 과정이 쌓여서 결국에는 우리의 삶을 바꾸는 큰 변화를 이루게 됩니다. 이제부터라도 작은 변화부터 시작해보는 것이 어떨까요? 함께 조금씩 변해가는 여정을 시작해 봅시다.

우리는 이러한 방법들을 통해, 꾸준한 행동을 실천하고, 미루는 습관을 극복하며, 성공을 향한 길을 나아갈 수 있습니다. 이 과정

중에서는 장애물을 인식하고, 그에 맞는 우선순위를 재조정하는 것이 중요합니다. 또한, 대체 계획을 수립하고 문제 해결 기법을 적용하여, 장애물을 효과적으로 극복하는 능력을 기를 수 있습니다. 지속적인 학습과 개선을 통해, 우리는 더욱 강력한 장애물 극복 전략을 개발할 수 있습니다. 이러한 방법들은 도전과 극복을 통해 성공을 향한 여정을 이어가는데 필요한 핵심 요소입니다.

6. 목표 설정과 기록

작심삼일을 넘어서기: 꾸준한 기록의 중요성

"변화"라는 개념은 무엇일까요? 이것은 사실상 작은 씨앗에서 시작하여 거대한 나무로 발전하는 과정과 매우 유사합니다. 우리가 진정으로 큰 변화를 이루고 싶다면, 그것은 작은 변화들이 모여 이루어지는 것이기 때문에, 우리는 작은 변화부터 시작해야 합니다. 이런 변화를 시작하기 위한 첫 번째 단계는 명확한 목표를 설정하는 것입니다.

가령, "체중 감량"이라는 막연한 목표를 설정하기보다는 "6개월 안에 체중 5kg 감량하기"라는 구체적이며 명확한 목표를 설정하는 것이 좋습니다. 이렇게 명확한 목표를 설정하면, 우리는 어디로 가야하는지, 어떤 방향으로 나아가야 하는지를 정확히 알 수 있습니다. 하지만 이렇게 세밀하게 설정한 목표를 잊어버린다면 그것은 큰 문제가 될 수 있습니다. 따라서 목표를 기록하는 것이 중요합니다. 우리는 목표를 종이에 쓰거나 컴퓨터에 저장함으로써 언제든지 확인할 수 있고, 우리가 추구하는 목표를 잊지 않을 수 있습니다.

그렇다면, 목표를 세우고 그것을 기록했다면 우리가 다음으로 해야 할 일은 무엇일까요? 그것은 바로 우리의 진행 상황을 주기적으로 확인하고 추적하는 것입니다. 목표를 설정한 후에는, 그 목표를 달성하기 위해 어떤 단계를 밟아나가야 하는지 계획을 세우고, 그 계획을 따라가면서 얼마나 잘 진행되고 있는지를 주기적으로 확인해야 합니다. 예를 들어, "이번 주에 3번 운동하기"라는 구체적인 계획을 세웠다면, 매일 운동한 시간을 기록하고, 매주 그 주간동안의 총 운동 시간을 확인해봅시다. 이렇게 진행 상황을 추적하게 되면, 우리는 목표 달성을 위해 필요한 동기부여를 유지할 수 있으며, 필요한 경우에는 목표를 조정하거나 계획을 개선할 수 있습니다.

목표를 설정하고 그것을 기록하고, 그리고 진행 상황을 추적하는 과정에서 우리가 느낄 수 있는 감정 중 하나는 바로 "성취감"입니다. 매일 10분씩 걷기를 목표로 설정하고, 이를 기록하고, 그 결과로 실제로 목표를 달성한 날이 있을 것입니다. 그 날, 우리는 어떤 감정을 느낄까요? 바로 "성취감"입니다. 이 성취감은 우리에게 더 큰 동기를 부여해주고, 더 높은 목표를 세우고 그것을 향해 나아가게 만듭니다.

그러나, 목표를 설정하고 그것을 기록하고, 진행 상황을 추적하는 것만으로는 충분하지 않습니다. 우리는 왜 우리의 목표를 달성하는 데 실패했는지, 왜 우리의 계획이 틀어졌는지를 반드시 알아내야 합니다. 그리고 그것이 반복된다면, 우리는 그것을 개선할 방법을 찾아내야 합니다. 예를 들어, 우리가 계속해서 운동 계획을 미룬다면, 왜 그런지 기록을 통해 찾아보고, 그것을 개선할 수 있는 방안을 찾아야 합니다.

이렇게 작은 씨앗을 심고, 그것을 가꾸어 나가다 보면, 결국에는 큰 나무가 될 것입니다. 그리고 그 큰 나무가 우리의 목표를 달성하게 만들 것입니다. 그럼, 우리는 변화의 첫 단계를 시작해봅시다. 작은 목표를 설정하고, 그것을 기록하고, 진행 상황을 추적하고, 성취감을 느끼고, 실패 원인을 파악하고, 그것을 개선해 나가는 작은 변화의 첫 단계를 시작해봅시다. 이 모든 과정이 함께 모여 우리의 큰 변화를 이루는 첫 걸음이 될 것입니다.

목표 설정과 달성: 작은 목표로 큰 성취를

목표 달성을 위한 가장 중요한 첫 단계는 변화입니다. 변화는 작은 것에서 시작되고, 이것이 모여 큰 변화를 만드는 것이죠. 우리가 서성이지 않고 변화를 시작하기 위해선 먼저 작은 씨앗을 심는 것이 중요합니다. 이 작은 씨앗이란 바로 '작은 목표'를 가리킵니다. 다음으로는 이 작은 목표를 어떻게 설정하고, 어떻게 실행할 것인지에 대한 방법을 알아보겠습니다.

작은 목표 설정: 큰 목표를 달성하기 위해서는 처음에는 작은 목표를 설정하는 것이 중요합니다. 예를 들어, "운동하기"라는 큰 목표보다는 "하루에 10분씩 걷기"라는 작은 목표를 설정하는 것입니다. 작은 목표를 설정하면 부담감이 줄어들고 쉽게 시작할 수 있습니다. 또한, 작은 목표를 달성함으로써 성취감을 느낄 수 있고, 이 성취감은 우리에게 더 큰 변화를 이루기 위한 동기를 부여합니다. 이렇게 작은 목표를 설정하면서 시작하면, 우리는 변화를 위한 첫 걸음을 더욱 확실하게 밟을 수 있습니다.

단기 목표와 장기 목표의 균형: 큰 꿈이나 비전을 달성하기 위해서는 단기 목표와 장기 목표를 모두 설정해야 합니다. 예를 들어, "6개월 안에 체중 5kg 감량하기"라는 장기 목표를 설정하고, 그러기 위해 "이번 주에 3번 운동하기"라는 단기 목표를 설정하는 것입니다. 이렇게 하면, 단기 목표를 통해 성취감을 느끼고, 장기 목표를 달성하기 위한 동기를 유지할 수 있습니다. 또한, 단기 목표를 성공적으로 이루면서 장기 목표에 대한 자신감을 높일 수 있으며, 이는 우리가 더 큰 목표를 이루기 위한 중요한 원동력이 됩니다.

구체적이고 측정 가능한 목표 설정: 목표를 설정할 때는 추상적인 목표보다는 구체적이고 측정 가능한 목표를 설정하는 것이 좋습니다. 예를 들어, "더 많은 책을 읽기"라는 추상적인 목표보다는 "매일 10페이지씩 책 읽기"와 같이 구체적이고 측정 가능한 목표를 설정하는 것입니다. 이렇게 하면 우리는 진행 상황을 쉽게 확인할 수 있고, 성취감을 더욱 높일 수 있습니다. 또한, 구체적인 목표는 우리가 어떤 행동을 취해야 하는지 명확하게 알려주기 때문에, 미루는 것을 막아줄 수 있습니다. 이렇게 목표를 구체적이고 측정 가능하게 설정하면, 우리는 더욱 명확하고 확실한 방향성을 가지고 목표를 향해 나아갈 수 있습니다.

목표 달성의 길이 이렇게 잘 닦여지면, 이제 목표를 달성하기 위한 노력을 시작해야 합니다. 이 과정에서 가장 중요한 것은 바로 '행동'입니다. 우리는 자신의 행동을 통제할 수 있으므로, 행동을 잘 관리하고 통제하는 것이 목표 달성의 핵심이라 할 수 있습니다.

이렇게 목표 달성을 위한 여러 가지 방법을 알아보았습니다. 이 중에서 자신에게 가장 잘 맞는 방법을 선택하고, 그것을 실행해 보세요. 그리고, 자신의 노력이 어떤 결과를 가져오는지를 기록하고, 그것을 통해 자신을 더 잘 알아가는 과정을 즐기세요. 이것이 바로 목표를 달성하는 가장 좋은 방법입니다. 이제 시작해 보세요!

목표 달성의 마지막 단계로는 '피드백'에 대해 이야기해 보겠습니다. 목표를 달성하기 위해서는 자기 자신의 행동과 결과를 지속적으로 점검하고, 필요한 경우 수정하는 것이 중요합니다. 예를 들면, 매일 운동 시간을 기록하고 주간 단위로 총 운동 시간을 확인하는 것, 또는 매주 일요일 저녁에 한 주 동안의 목표 달성 여부를 점검하고 다음 주의 계획을 세우는 것입니다. 이렇게 자신의 행동을 지속적으로 점검하고 개선하는 것은 목표 달성에 큰 도움이 됩니다.

또한, 작은 목표를 달성할 때마다 자신에게 작은 보상을 주는 것도 좋은 방법입니다. 보상 시스템은 우리의 동기 부여를 높이는 효과적인 방법이죠. 예를 들어, 하루 30분씩 운동한 후 좋아하는 간식을 먹거나, 중요한 업무를 완료한 후 영화를 보는 것 등입니다. 이런 식으로, 목표 달성을 위한 동기 부여와 즐거움을 함께 유지할 수 있습니다.

그리고 친구나 가족과 함께 목표를 공유하고, 서로의 진행 상황을 확인하는 것도 좋은 방법입니다. 이는 책임감을 높이고, 동기를 유지하는 데 도움이 됩니다. 예를 들어, 친구와 함께 운동 목표를 세우고, 매주 진행 상황을 공유하는 것입니다. 이렇게 책임 파트너를 활용하면, 목표 달성을 위한 동기 부여와 책임감을 높일 수 있습니다.

마지막으로, 목표를 시각적으로 표현하는 비전 보드를 만들어 보세요. 이를 통해 목표를 명확하게 인식하고, 동기를 유지할 수 있습니다. 예를 들어, 체중 감량 목표를 시각적으로 표현하여 냉장고에 붙이는 것입니다. 이러한 비전 보드는 목표를 명확하게 인식하고, 동기를 유지하는 데 도움이 됩니다.

이처럼 작은 목표를 설정하고, 평가하고, 개선하고, 보상하는 과정을 반복하면서 큰 목표를 달성해 나갈 수 있습니다. 그러나 가장 중요한 것은 무엇보다도 통제 가능한 것에 집중하는 것입니다. 우리가 직접 통제할 수 있는 것은 우리의 행동뿐입니다. 그래서, 우리의 행동을 어떻게 관리하느냐가 목표 달성의 핵심입니다. 그러니 지금부터라도 작은 변화를 만들기 위해 행동해 보세요. 그리고 그 작은 변화가 모여 큰 결과를 만들어 내는 것을 기대해 보세요!

7. 구체적이고 실현 가능한 목표

목표의 중요성: 명확한 목표가 주는 힘

우리가 어떤 도전이나 목표를 세울 때, 그것을 성취하기 위한 가장 중요한 요소는 무엇일까요? 답은 바로 '명확한 목표'입니다. 명확한 목표는 우리의 행동과 생각을 이끄는 줄기가 되며, 동기 부여의 중요한 원천이 됩니다. 그렇기에 명확한 목표의 중요성과 그 설정법에 대해 함께 깊이 있게 살펴보는 시간을 가져보도록 합시다.

명확한 목표 설정: 방향성 제공 - 명확한 목표는 우리에게 '어디로 나아갈지'에 대한 방향을 제시해줍니다. 예를 들어, "건강해지기"라는 추상적인 목표보다 "매일 아침 30분 달리기"라는

구체적인 목표를 설정하면, 우리는 그 목표를 이루기 위한 행동을 즉시 시작할 수 있습니다. 또한, 이렇게 설정한 목표는 일상 속에서 우리가 어떤 결정을 내리고, 어떤 행동을 취해야 하는지에 대한 명확한 가이드라인을 제공합니다. 즉, 명확한 목표는 우리의 행동을 이끌어주는 나침반의 역할을 합니다.

명확한 목표 설정: 동기 부여 - 명확한 목표는 우리의 '동기'를 높여줍니다. "6개월 안에 체중 5kg 감량하기"라는 구체적인 목표를 설정하면, 우리는 그 목표를 달성하기 위해 더욱 열심히 노력하게 됩니다. 그리고 이 목표를 향해 나아가는 과정 속에서 '왜 이 목표를 이루어야 하는지'에 대한 질문을 계속해서 던져볼 수 있습니다. 이렇게 명확한 목표를 통해 우리는 자신의 행동에 대한 동기를 계속해서 부여받을 수 있습니다.

명확한 목표 설정: 시간 관리 - 명확한 목표는 우리의 '시간 관리'에 큰 도움을 줍니다. "이번 주에 3번 5km 달리기"라는 구체적인 목표를 설정하면, 우리는 달리기를 위한 시간을 미리 계획하고, 그에 따라 다른 일정을 조율할 수 있습니다. 즉, 명확한 목표를 통해 우리는 자신의 시간을 어떻게 효율적으로 사용할 것인지에 대한 전략을 세울 수 있습니다. 이렇게 시간을 효율적으로 사용하면 미루는 습관을 줄일 수 있으며, 전반적인 생산성을 향상시킬 수 있습니다.

명확한 목표 설정: 성과 측정 - 명확한 목표는 '성과 측정'에 있어서 중요합니다. "하루에 10페이지씩 책 읽기"라는 구체적인 목표를 설정하면, 매일 자신의 성과를 측정하고, 이를 통해 성취감을 느낄 수 있습니다. 또한, 구체적으로 측정 가능한 목표를 설정하면

우리는 자신의 성장을 시각적으로 확인할 수 있습니다. 이는 우리가 얼마나 성장하고 있는지를 직접 확인하고, 그 성과를 바탕으로 다음 단계의 목표를 설정하는데도 도움이 됩니다.

명확한 목표 설정: 집중력 향상 - 명확한 목표는 우리의 '집중력'을 향상시키는데 도움을 줍니다. 명확한 목표는 우리의 에너지를 분산시키지 않고, 하나의 목표에 집중하게 합니다. 예를 들어, "매일 아침 6시에 일어나서 30분 동안 운동하기"라는 구체적인 목표를 설정하면, 우리는 그 시간에만 집중하여 운동에 집중할 수 있습니다. 이렇게 목표를 바탕으로 일정한 시간을 확보하면, 그 시간 동안 우리는 다른 일에 쉽게 방해받지 않고 목표를 향해 집중할 수 있습니다.

명확한 목표 설정: 우선순위 설정 - 명확한 목표는 우리의 '우선순위'를 설정하는 데 큰 도움을 줍니다. 목표가 명확하면, 우리는 그 목표를 달성하기 위해 어떤 일이 더 중요한지 판단할 수 있습니다. 명확한 목표는 우리의 일과 삶의 우선순위를 정리하고, 중요한 일에 집중하게 합니다. 예를 들어, "하루 30분씩 달리기"라는 목표를 설정하면, 이를 우선순위로 두고, 다른 일과 조율할 수 있습니다. 이렇게 우리는 명확한 목표를 통해 자신의 삶의 우선순위를 재정렬하고, 중요한 일에 집중하는 습관을 들일 수 있습니다.

이처럼, 명확한 목표는 우리의 행동을 이끌고, 동기 부여를 유지하는 데 중요한 역할을 합니다. 명확한 목표를 설정함으로써, 우리는 미루는 습관을 극복하고, 성공적인 삶을 살아갈 수 있습니다. 그러므로, 명확한 목표 설정은 생활에서 꼭 필요한 습관이며, 우리의 삶을 바로잡고, 우리 자신을 성장시키는데 큰 도움을 주는 도구입니다.

행동 계획: 구체적이고 실현 가능한 목표 설정

구체적이고 실행 가능한 목표를 세우는 것은 우리의 삶을 변화시키는 가장 중요한 단계 중 하나입니다. 목표는 우리의 행동, 결정, 그리고 생활 방식을 안내하는 데 있어 중추적인 역할을 합니다. 하지만 우리는 종종 큰 목표에 집중하다 보면, 어떻게 그 목표를 달성할지에 대한 구체적인 계획을 놓치는 경우가 있습니다. 이러한 이유로, 이번 파트에서는 명확하고 실행 가능한 목표를 설정하는 방법에 대해 알아보겠습니다.

SMART 목표 설정: SMART는 Specific(구체적인), Measurable(측정 가능한), Achievable(달성 가능한), Relevant(관련성 있는), Time-bound(시간 제한이 있는)의 앞 글자를 딴 말입니다. 이러한 기준은 목표 설정에 있어서 중요한 가이드라인으로, 이를 통해 우리는 목표를 실현 가능하고 관리 가능한 방식으로 정의할 수 있습니다.

예를 들어, "6개월 안에 체중 5kg 감량하기"라는 목표는 SMART 목표에 해당합니다. 이 목표는 구체적이며, 체중 감량의 양을 통해 측정 가능하고, 적절한 식단 관리와 운동을 통해 달성 가능하며, 건강에 관련이 있고, 시간 제한이 있습니다. 이처럼 SMART 목표를 설정하면 우리는 목표를 세울 때 더욱 명확하게 생각하고, 그 목표를 향해 더욱 효율적으로 행동할 수 있습니다.

목표를 작은 단계로 나누기: "하루에 10페이지씩 책 읽기"와 같이 큰 목표를 작은 단계로 나누면, 목표 달성이 부담스럽지 않고, 더 쉽게 시작할 수 있습니다. 이런 작은 목표는 우리에게 초반에 필요한 자신감을 주며, 이는 더 큰 목표를 추구하는 동기를 줍니다. 이렇게 작은 단계를 통해 달성한 목표는 우리에게 성취감을 주고, 그 성취감은 우리에게 더 큰 변화를 이루기 위한 동기를 부여합니다. 따라서 목표를 단계적으로 세우는 것은 큰 목표에 도달하는 데 도움이 됩니다.

목표의 진행 상황 모니터링: 목표의 진행 상황을 정기적으로 모니터링하는 것이 중요합니다. 목표 진행 상황을 확인하면, 우리는 얼마나 많은 성과를 이루었는지, 그리고 얼마나 더 노력해야 하는지 알 수 있습니다. 이는 우리가 다가오는 도전을 이해하고, 필요한 수정 사항을 인식하고, 우리의 노력을 칭찬하고 강화하는 데 도움이 됩니다. 예를 들어, '하루에 10분씩 걷기'라는 목표를 세웠다면, 매일 걷는 시간을 기록하고 이를 주기적으로 확인해보는 것이 좋습니다. 이를 통해 우리는 목표 달성에 대한 명확한 인식을 가질 수 있습니다.

목표 달성 과정에서의 장애물 예측 및 대비 계획 세우기: 목표 달성 과정에서 발생할 수 있는 장애물을 예측하고, 이를 대비하는 계획을 세우는 것이 중요합니다. 예를 들어, 운동을 목표로 한다면, 날씨가 나쁠 경우 실내에서 할 수 있는 운동을 미리 생각해보는 것입니다. 이렇게 장애물을 예측하고 대비한다면, 목표 달성을 방해하는 요인을 줄일 수 있습니다. 이는 우리가 목표를 달성하는 데 필요한 자원과 지원을 최대한 활용할 수 있도록 돕습니다. 따라서 장애물을 예측하고 이에 대비하는 것은 우리가 목표를 효과적으로 이루는 데 큰 도움이 됩니다.

이렇게 명확하고 실행 가능한 목표를 설정하면, 우리는 우리의 삶을 향상시키고, 미루는 습관을 극복하고, 새로운 습관을 형성하는 데 큰 도움이 됩니다. 이러한 목표 설정은 변화를 이루기 위한 가장 중요한 첫 단계이며, 우리 모두가 이를 통해 삶의 질을 향상시킬 수 있습니다. 이렇게 목표를 세우고, 그 목표를 달성하기 위한 구체적인 계획을 세우는 것이 중요합니다. 이 과정을 통해 우리는 우리의 삶을 향상시키고, 더 나은 미래를 만들어 갈 수 있습니다. 그러니 지금 바로 목표를 세우고, 그 목표를 달성하기 위한 행동 계획을 세워보세요. 그리고 그 계획을 실천해보세요. 작은 변화가 모여 큰 변화를 만들어냅니다. 우리 모두가 그런 변화를 이루어 나갈 수 있습니다.

8. 작은 목표로 큰 성취

작은 목표 설정: 쉽게 달성할 수 있는 계획

변화를 만들기 위해 가장 중요한 첫걸음은 작은 목표를 설정하는 것입니다. 작은 목표는 동기 부여와 성취감을 제공하며, 이는 큰 변화로 이어질 수 있습니다. "만약 작은 목표를 어떻게 설정할 수 있을까요?"라는 의문이 생긴다면, 다음과 같은 방법을 참고해보세요.

구체적이고 현실적인 목표 설정: "더 많이 운동하기"라는 추상적인 목표보다는 "하루에 10분씩 걷기"라는 목표처럼 구체적이고 실질적으로 달성 가능한 목표를 설정해야 합니다. 명확한 방향을 가진 목표는 우리가 어떤 행동을 취해야 할지 명확하게 지시해주기 때문입니다. 예를 들어, "매주 3번 헬스장에 가기"라는 목표는 우리가 어떤 행동을 취해야 할지 구체적으로 알려주므로 실행하기가 더 쉽습니다.

달성 가능하고 측정 가능한 목표 설정: "한 달 동안 매일 10분씩 운동하기" 같은 목표는 우리가 목표를 쉽게 측정하고, 그 성취를 느낄 수 있게 해줍니다. 예를 들어, "한 달 동안 책 2권 읽기"라는 목표는 달성 가능하면서도 측정 가능하므로 성취감을 느끼는데 도움이 됩니다.

단기 목표와 장기 목표의 균형: "하루에 10페이지씩 책 읽기"와 같은 단기 목표는 즉각적인 성취감을 제공하며, "한 달에 한 권 책 읽기"와 같은 장기 목표는 더 큰 그림, 즉 우리의 비전을 설정하는데 도움이 됩니다. 예를 들어, "이번 주에 3번 운동하기"라는 단기 목표와 "3개월 후에 5kg 감량하기"라는 장기 목표를 동시에 설정하면 단기적인 성취감과 장기적인 비전을 모두 얻을 수 있습니다.

행동 중심의 목표 설정: "건강해지기"와 같은 추상적인 목표보다는 "매일 아침 10분씩 스트레칭하기"와 같은 구체적인 행동을 포함한 목표를 설정해야 합니다. 예를 들어, "매일 저녁에 야채를 2가지 이상 먹기"라는 구체적인 행동 중심의 목표는 실제로 어떤 행동을 취해야 하는지를 알려주어, 행동을 촉진하게 됩니다.

목표 시각화: 목표를 그림이나 다이어그램으로 그려서 눈에 잘 보이는 곳에 붙여두면, 그 목표가 우리의 일상에 자연스럽게 스며들게 됩니다. 예를 들어, 달성하고자 하는 몸매의 사진을 붙여두거나, 달성하고 싶은 성적을 보드에 적어두는 것은 목표를 시각화하는 좋은 방법입니다.

목표 공유: 친구나 가족과 함께 목표를 설정하고 그 목표를 달성해 나가는 것이 좋습니다. 다른 사람들과 목표를 공유하면 우리에게

책임감을 부여하게되고, 그 책임감은 우리가 목표를 지속적으로 추구하게 만듭니다. 예를 들어, 같이 운동하는 친구와 함께 "한 달 동안 매일 10분씩 걷기"라는 목표를 공유하면, 서로를 독려하고 격려할 수 있습니다.

이런 작은 변화들이 모여 큰 변화를 만들어나갑니다. 그럼, 어떻게 하면 이런 작은 목표를 실천하고 이를 지속할 수 있을까요? 다음과 같은 전략들이 있습니다.

성공 상상: 우리가 도전에 나설 때, 그 성공을 상상하고 그렇게 성공했을 때 느낄 성취감을 미리 상상해보세요. 예를 들어, 체중을 감량하기 위해 운동을 시작하려는 경우, 목표 체중에 도달했을 때의 모습을 상상하면서 그 쾌감을 느껴보세요. 이렇게 미래의 성공을 시각화하면, 우리의 동기를 높여주고 우리가 도전에 나설 용기를 부여해줍니다.

작은 성취 축하: 작은 목표를 달성했을 때 그것을 축하하고, 자신을 칭찬하세요. 예를 들어, 하루동안 물 2리터를 마시는 것을 목표로 했는데 성공했다면, 이를 축하하고 자신을 칭찬해보세요. 이렇게 자신의 작은 성취를 인정하고 축하하는 것은 우리에게 더 큰 목표를 향한 동기를 부여해줍니다.

피드백과 조정: 우리가 목표를 설정한 후에는, 그 목표에 대한 피드백을 받고 필요한 경우 그 목표를 조정해야 합니다. 예를 들어, 친구나 가족에게 우리의 목표를 공유하고 그들의 피드백을 받아 목표를 조정하는 것입니다. 이렇게 하면 목표를 달성하는데 더욱 효과적일 수 있습니다.

지속적인 성장: 도전과 극복을 통해 계속해서 성장해야 합니다. 예를 들어, 새로운 언어를 배우기 시작했다면, 매일 조금씩 공부하면서 새로운 단어와 문법을 배워나가야 합니다. 이런 지속적인 성장을 통해 우리는 더 큰 도전에 나설 수 있습니다. 이렇게 지속적인 성장은 우리의 한계를 확장시키고, 더 큰 성취를 가능하게 합니다.

시간 관리: 우리의 시간은 한정되어 있기 때문에, 시간을 효과적으로 관리하는 것이 중요합니다. 이를 위해 일과를 계획하고, 우선 순위에 따라 일을 처리하는 습관을 들이는 것이 좋습니다.

스스로에 대한 인식: 자신의 강점과 약점을 인지하고 이를 바탕으로 목표를 설정하고 행동하는 것이 중요합니다. 이를 통해 우리는 더 효율적으로 목표를 달성할 수 있습니다.

환경 조성: 도전을 시작하기 전에, 도전을 위한 최적의 환경을 만드는 것이 중요합니다. 예를 들어, 운동을 시작한다면 운동에 적합한 옷과 신발, 운동 장비 등을 준비하는 것입니다.

동료의 도움: 도전의 과정은 때때로 어려울 수 있습니다. 이럴 때, 친구나 가족, 동료들의 도움을 받는 것이 중요합니다. 그들은 우리에게 피드백을 제공하고, 도전을 계속할 수 있는 동기를 부여해줄 수 있습니다.

선한 순환의 만들기: 작은 성공을 이루고 이를 축하함으로써, 우리는 선한 순환을 만들 수 있습니다. 이 선한 순환은 우리에게 자신감을 주고, 더 큰 성공을 위한 동기를 부여해줍니다.

자기 돌아보기: 우리가 목표를 달성한 후에는, 그 과정을 돌아보고 무엇이 잘 되었는지, 무엇이 개선되어야 하는지 생각해보는 것이 중요합니다. 이를 통해 우리는 더 나은 결과를 위해 어떤 행동을 취해야 하는지 알 수 있습니다.

요약하자면, 변화를 이루기 위한 중요한 첫걸음은 작은 목표를 설정하는 것입니다. 이런 작은 목표들은 우리가 큰 성취를 이루는 데 중요한 역할을 합니다. 그래서 우리는 작은 목표를 세우고, 그 목표를 달성하기 위해 노력해야 합니다. 이렇게 하면, 우리는 큰 변화를 이루고, 우리의 꿈을 실현할 수 있습니다.

단계별 실행: 작은 성취가 만드는 큰 변화

변화를 추구하는 것은 결코 쉽지 않은 일입니다. 실제로 우리는 종종 안정적인 상황을 선호하고 불확실성을 피하려는 경향이 있습니다. 그러나 크거나 작은 변화를 추구하는 것은 우리의 개인적 성장과 발전에 필수적인 일입니다. 이를 위해 우리는 작은 목표를 설정하고, 이를 단계별로 실행함으로써 큰 성과를 이룰 수 있습니다.

이런 방식으로 접근하면, 우리가 원하는 변화를 창출하는 데 필요한 도전을 관리할 수 있습니다. 이 과정이 복잡하고 어려울 수도 있지만, 이는 결국 우리가 원하는 변화를 창출하는 데 도움이 될 것입니다.

때문에 이제 당신이 원하는 변화를 만들어내기 위한 첫 번째 단계를 밟아보세요. 그 과정을 즐기는 것도 잊지 마세요. 변화는 노력하는 손에서 비롯됩니다. 그 변화는 바로 당신의 손에서 시작될 것입니다. 당신의 노력이 결국에는 좋은 결과를 가져다 줄 것입니다. 변화를 두려워하지 말고, 적극적으로 추구해 보세요.

작은 목표 설정: 큰 목표를 달성하기 위해서는 소규모의 목표를 먼저 설정하는 것이 중요합니다. 예를 들어, "운동하기"라는 큰 목표보다는 "하루에 10분씩 걷기"라는 작은 목표를 설정하는 것입니다. 작은 목표를 설정하면 부담감이 줄어들고 쉽게 시작할 수 있습니다. 또한, 이러한 작은 목표를 달성함으로써 성취감을 느낄 수 있고, 이 성취감은 우리에게 더 큰 변화를 이루기 위한 동기를 부여합니다. 예를 들어, 당신이 피아노를 배우려고 한다면, "하루에 10분씩 피아노 연습하기"라는 작은 목표를 설정할 수 있습니다. 이 작은 목표를 꾸준히 이루면 결국에는 큰 목표인 "피아노를 잘 칠 수 있게 되기"를 달성할 수 있습니다.

단기 목표와 장기 목표의 균형: 큰 꿈이나 비전을 달성하기 위해서는 단기 목표와 장기 목표를 모두 설정해야 합니다. 예를 들어, "6개월 안에 체중 5kg 감량하기"라는 장기 목표를 설정하고, 그러기 위해 "이번 주에 3번 운동하기"라는 단기 목표를 설정하는 것입니다. 이렇게 하면, 단기 목표를 통해 성취감을 느끼고, 장기 목표를 달성하기 위한 동기를 유지할 수 있습니다. 예를 들어, 당신이 6개월 안에 영어를 유창하게 하고 싶다면, 장기 목표로 "6개월 안에 영어를 유창하게 하기"를 설정하고, 단기 목표로 "이번 주에 3개의 영어 기사를 읽고 이해하기"를 설정할 수 있습니다.

구체적이고 측정 가능한 목표 설정: 목표를 설정할 때는 추상적인 목표보다는 구체적이고 측정 가능한 목표를 설정하는 것이 좋습니다. 예를 들어, "더 많은 책을 읽기"라는 추상적인 목표보다는 "매일 10페이지씩 책 읽기"와 같이 구체적이고 측정 가능한 목표를 설정하는 것입니다. 이렇게 하면 우리는 진행 상황을 쉽게 확인할 수 있고, 성취감을 더욱 높일 수 있습니다. 예를 들어, 당신이 개인 프로젝트를 진행하려고 한다면, "프로젝트 완성하기"라는 추상적인 목표보다는 "이번 주에 프로젝트 아이디어 구체화 및 계획서 작성하기"라는 구체적이고 측정 가능한 목표를 설정할 수 있습니다.

시작의 중요성: 목표를 설정한 후에는 즉각적으로 행동에 옮기는 것이 중요합니다. "시작이 반이다"라는 말이 있듯이, 무엇이든 시작하는 것이 가장 어렵습니다. 그래서 우리는 5초의 법칙을 활용해 결정을 내린 후 5초 안에 행동을 시작해야 합니다. 예를 들어, 운동을 결심했다면 5초 안에 운동복을 입고 나가는 것 등, 즉시 행동에 옮기는 것이 중요합니다. 만약 당신이 책을 읽는 습관을 만들고 싶다면, "책 읽기"라는 목표를 설정한 후 바로 책을 선택하고 읽기를 시작하는 것이 좋습니다.

작은 성공 경험 쌓기: 작은 목표를 달성하고, 이를 통해 작은 성공 경험을 쌓는 것이 중요합니다. 예를 들어, 매일 10분씩 걷기를 달성하면, 그 성취감을 느끼고, 점차 운동 시간을 늘려나갈 수 있습니다. 이렇게 작은 성공 경험이 쌓여 결국에는 큰 성취를 이루게 됩니다. 이 모든 과정을 통해 우리는 미루는 습관을 극복하고, 삶의 질을 향상시킬 수 있습니다. 예를 들어, 당신이 스스로의 건강을 개선하고 싶다면, 매일 아침에 물 한 잔을 마시는 습관을 만들 수 있습니다. 이 작은 성공 경험이 쌓이면 결국에는 건강한 생활습관을 만들어내는 큰 변화를 가져올 수 있습니다.

실패를 두려워하지 않기: 도전 과정에서 실패는 불가피한 부분입니다. 하지만, 이 실패를 두려워하지 않고, 오히려 이를 통해 배울 수 있는 성장의 기회로 받아하는 것이 중요합니다. 실패는 우리에게 어떤 방식으로 접근해야 하는지, 어떤 부분을 개선해야 하는지를 알려줍니다. 실패를 통해 우리는 자신의 약점을 극복하고 성장할 수 있습니다. 예를 들어, 운동 목표를 설정하였지만 몇 일 동안 운동을 하지 못했다면, 그것은 실패가 아닌 학습의 기회입니다. 그것은 당신에게 어떤 시간대에 운동이 가장 잘 이루어지는지, 어떤 운동이 가장 자신에게 맞는지를 알려주는 좋은 기회입니다.

자신을 칭찬하고 보상하기: 작은 목표를 달성할 때마다 자신을 칭찬하고, 이를 축하해야 합니다. 이는 자신의 노력과 성취를 인정하고, 긍정적인 감정을 유발합니다. 예를 들어, 매일 10분씩 걷는 목표를 달성했다면, 자신에게 "잘했어, 꾸준히 목표를 달성하고 있어"라고 칭찬하는 것입니다. 또한, 작은 보상을 통해 동기를 부여할 수 있습니다. 예를 들어, 일주일 동안 목표를 모두 달성했다면, 좋아하는 영화를 보거나, 맛있는 음식을 먹는 것으로 자신을 보상하는 것입니다.

실행 계획을 세우기: 목표를 달성하기 위해서는 구체적인 실행 계획이 필요합니다. 이는 목표를 작은 단계로 나누고, 각 단계별로 행동 계획을 세우는 것을 포함합니다. 예를 들어, "운동하기"라는 목표를 설정한 후, 언제, 어디서, 어떻게 운동할 것인지에 대해 구체적으로 계획을 세우는 것입니다. 이렇게 하면, 우리는 목표를 더 쉽게 달성할 수 있습니다.

진행 상황을 기록하고 확인하기: 목표를 설정한 후에는 자신의 진행 상황을 꾸준히 기록하고 확인해야 합니다. 이는 당신이 목표를 달성하는 과정에서 얼마나 잘 진행하고 있는지를 알려줍니다. 예를 들어, 매일 걷는 시간을 기록하고, 주간 단위로 총 걷는 시간을 확인하는 것입니다. 이렇게 하면, 당신은 자신의 성취를 시각적으로 확인할 수 있고, 필요한 경우 목표를 조정할 수 있습니다.

피드백 받기와 목표 조정: 목표를 달성하는 과정에서 피드백을 받는 것이 중요합니다. 이는 우리가 어떤 부분을 개선해야 하는지를 알려주고, 목표를 조정하는 데 도움을 줍니다. 예를 들어, 친구나 가족에게 자신의 목표를 공유하고, 그들의 피드백을 받는 것입니다. 이렇게 하면, 우리는 더 나은 방향으로 목표를 조정할 수 있습니다.

장애물을 예측하고 대비하기: 목표를 달성하는 과정에서 장애물이 생길 수 있습니다. 이러한 장애물을 미리 예측하고, 이를 극복할 수 있는 전략을 세우는 것이 중요합니다. 예를 들어, 날씨가 나쁠 경우에도 운동을 계속할 수 있도록 실내에서 할 수 있는 운동을 준비하는 것입니다. 이렇게 하면, 우리는 장애물에도 불구하고 목표를 계속 추구할 수 있습니다.

친구와 함께 목표 달성하기: 친구나 가족과 함께 목표를 설정하고, 서로의 진행 상황을 공유하는 것이 좋습니다. 이는 우리에게 추가적인 동기를 부여하고, 함께 목표를 추구하는 과정에서 재미를 느낄 수 있습니다. 예를 들어, 친구와 함께 운동 목표를 세우고, 매주 진행 상황을 공유하는 것입니다.

목표 시각화: 목표를 시각적으로 표현하는 것이 좋습니다. 이는 우리가 목표를 더욱 명확하게 인식하고, 이를 향해 더욱 집중할 수 있도록 돕습니다. 예를 들어, 체중 감량 목표를 시각적으로 표현하여 냉장고에 붙여 놓는 것입니다. 이렇게 하면, 매일 그 목표를 볼 수 있고, 이로 인해 더욱 동기를 부여받을 수 있습니다.

부지런함의 중요성: 마지막으로, 변화를 만들어내는 것은 부지런한 수고와 노력에 달려 있습니다. 우리가 목표를 설정하고, 이를 꾸준히 추구하면, 결국에는 우리가 원하는 변화를 만들어낼 수 있습니다. 이는 단순히 목표를 설정하는 것뿐만 아니라, 그 목표를 향해 꾸준히 노력하는 과정에서 나타납니다. 이러한 과정을 통해 우리는 자신의 목표를 달성하고, 자신의 삶을 개선할 수 있습니다.

9. 자기 한계 극복

자기 한계를 극복하고, 새로운 도전에 나서기 위해서는 벼룩 천장과 코끼리 밧줄과 같은 상징적인 한계를 인식하고, 이를 극복하는 것이 중요합니다. 자기 한계 인식, 자기 한계 도전, 성공 경험 축적, 긍정적 자기 대화, 환경 변화, 학습과 성장 등의 방법을 통해 자기 한계를 극복하세요. 또한, 작은 도전부터 시작, 실패를 두려워하지 않기, 지원 시스템 구축, 긍정적 시각 유지, 계획과 준비, 성공 상상 등의 방법을 통해 새로운 도전에 용기를 발휘하세요. 작은 도전이 모여 큰 성취를 이루게 됩니다.

벼룩 천장과 코끼리 밧줄: 자기 한계 극복하기

우리의 한계는 종종 우리가 만든 것입니다. 벼룩 천장과 코끼리 밧줄은 우리가 만들어낸 한계를 상징적으로 보여줍니다. 이를 극복하는 것은 미루는 습관을 극복하고, 더 큰 성취를 이루기 위해 중요합니다. "어떻게 자기 한계를 극복할 수 있을까요?"

벼룩은 아주 작은 곤충이지만, 자기 몸 길이의 수십 배를 뛰어오를 수 있습니다. 그런데 만약 벼룩을 뚜껑이 있는 병에 넣어두면, 벼룩은 몇 번 뚜껑에 부딪힌 후 더 이상 높이 뛰지 않게 됩니다. 뚜껑을 제거해도 벼룩은 여전히 그 높이 이상을 뛰지 않습니다. 이는 우리의 한계를 상징적으로 보여줍니다. 우리는 실패나 좌절을 경험한 후, 스스로 한계를 설정하고 그 이상 도전하지 않으려 합니다.

서커스의 코끼리는 어릴 때부터 발목에 작은 밧줄이 묶여 자라납니다. 코끼리는 어릴 때 이 밧줄을 벗어나려고 여러 번 시도하지만, 결국 포기하게 됩니다. 커다란 성체가 된 후에도 작은 밧줄 하나에 묶여 있는 이유는 어릴 때 형성된 한계 때문입니다. 이는 우리가 과거의 경험에 의해 만들어진 한계를 벗어나지 못하는 이유를 보여줍니다.

이렇게 자신의 한계를 인식하고, 이를 극복하는 것은 미루는 습관을 극복하고, 더 큰 성취를 이루는 데 중요합니다. 한계를 극복하는 것은 새로운 도전을 가능하게 하고, 우리의 잠재력을 최대한 발휘하게 합니다.

자신의 한계를 극복하는 방법은 다양합니다. 우선, 자신의 한계를 인식하는 것부터 시작해봅시다. 우리는 종종 자신도 모르게 한계를 설정하고, 그 한계 안에서만 행동하려 합니다. 자신의 한계를 인식하고, 그것이 실제로 존재하는 한계인지, 아니면 스스로 만든 한계인지를 파악하는 것이 중요합니다.

다음으로, 도전을 통해 한계를 극복하려고 노력해야 합니다. 작은 도전부터 시작하여 점차 더 큰 도전으로 나아갈 수 있습니다. 작은 도전은 자신감을 높이고, 더 큰 도전을 가능하게 합니다.

또한, 성공 경험을 축적하는 것이 중요합니다. 작은 성공 경험을 통해 자신감을 얻고, 더 큰 도전에 나설 수 있습니다. 예를 들어, 작은 목표를 설정하고, 이를 달성하는 경험을 통해 자신감을 쌓는 것입니다. 이렇게 성공 경험을 축적하면, 우리의 한계를 확장시키고, 더 큰 성취를 가능하게 합니다.

긍정적인 자기 대화도 한계를 극복하는 데 중요한 역할을 합니다. 부정적인 자기 대화는 우리의 한계를 강화하지만, 긍정적인 자기 대화는 우리의 한계를 확장시킵니다. "나는 할 수 있어", "나는 강하다"와 같은 긍정적인 말을 자신에게 걸어보세요. 이는 자신감을 높이고, 한계를 극복하는 데 도움이 됩니다.

환경을 변화시키는 것도 한계를 극복하는 방법입니다. 우리의 환경은 우리의 행동에 큰 영향을 미칩니다. 긍정적인 환경을 조성하여 자신의 한계를 극복하세요. 예를 들어, 도전을 장려하는 사람들과 어울리거나, 긍정적인 분위기의 장소에서 작업하는 것입니다.

마지막으로, 계속해서 배우고 성장하는 것이 중요합니다. 새로운 기술을 배우고, 새로운 지식을 습득하면, 우리는 더 큰 도전에 나설 수 있습니다. 예를 들어, 새로운 언어를 배우거나, 새로운 분야에 도전하는 것입니다. 학습과 성장은 우리의 한계를 확장시키고, 더 큰 성취를 가능하게 합니다.

이렇게 자신의 한계를 극복하면, 우리의 미루는 습관을 이겨내고, 더 큰 성취를 이루는 데 도움이 됩니다. 한계를 극복하면, 우리는 새로운 가능성을 발견하고, 더 큰 성공을 이룰 수 있습니다.

용기의 발휘: 새로운 도전과 극복

새로운 도전을 시작하려는 우리 모두에게 필요한 가장 중요한 요소 중 하나는 의심의 여지 없이 용기입니다. 그러나 많은 사람들이 자주 묻는 질문이 있습니다: "용기를 어떻게 발휘할 수 있을까요?" 이는 많은 사람들이 직면하는 공통된 문제이며, 그 해결책을 찾기 위해 우리는 용기를 발휘하는 방법에 대해 조금 더 깊이 파고들어야 할 필요가 있습니다. 이것이 어떻게 가능한지, 그리고 우리가 어떻게 우리 자신의 용기를 찾아낼 수 있는지에 대해 좀 더 구체적으로 알아보겠습니다.

작은 도전부터 시작하기: 새로운 도전에 용기를 발휘하기 위해서는, 가장 먼저 할 일은 작은 도전부터 시작하는 것입니다. 작은 도전은 상대적으로 부담이 적고, 성공 가능성이 높기 때문에 자신감을 쌓는 데 도움이 됩니다. 예를 들어, 새로운 운동을 시작하거나 새로운 취미를 시도하는 것이 이에 해당합니다. 이런 작은 도전을 통해 자신감을 높이고, 이를 바탕으로 더 큰 도전에 나설 용기를 제공합니다.

실패를 두려워하지 않기: 새로운 도전에 나설 때, 실패를 두려워하지 않는 것도 중요합니다. 실패는 성장의 기회이며, 성공의 과정 중 하나라는 사실을 잊지 말아야 합니다. 실패를 두려워하지 말고, 오히려 실패를 통해 배울 수 있는 점을 찾아보세요. 예를 들어, 새로운 프로젝트를 시도하고, 실패하더라도 이를 통해 얻은 교훈을 바탕으로 다음 도전에 나서는 것이 좋습니다.

지원 시스템 구축하기: 새로운 도전에 나설 때, 지원 시스템을 구축하는 것도 중요합니다. 친구, 가족, 멘토 등의 지원을 받으면 도전에 대한 두려움을 줄이고, 용기를 얻을 수 있습니다. 예를 들어, 새로운 사업을 시작할 때, 사업 경험이 있는 멘토의 조언을 받는 것이 이에 해당합니다. 이런 지원 시스템은 도전에 대한 용기를 높이고, 성공 가능성을 높입니다.

긍정적인 시각 유지하기: 도전에 대해 긍정적인 시각을 유지하는 것도 중요합니다. 도전에 대해 긍정적으로 생각하고, 그 도전을 통해 얻을 수 있는 이점을 상상하는 것이 필요합니다. 예를 들어, 새로운 언어를 배우는 도전을 긍정적으로 생각하고, 이를 통해 새로운 문화를 이해하고 더 많은 사람들과 소통할 수 있는 기회를 상상하는 것이 이에 해당합니다. 이런 긍정적인 시각은 용기를 높이고, 도전에 나설 동기를 제공합니다.

철저한 계획과 준비하기: 새로운 도전에 나서기 전에 철저한 계획과 준비를 하는 것도 중요합니다. 계획과 준비는 도전에 대한 불안감을 줄이고, 자신감을 높입니다. 예를 들어, 새로운 운동을 시작하기 전에 운동 계획을 세우고, 필요한 준비물을 미리 준비하는 것이 이에 해당합니다. 이런 철저한 계획과 준비는 도전에 대한 용기를 높이고, 성공 가능성을 높입니다.

성공을 상상하기: 마지막으로, 새로운 도전에 나설 때, 성공을 상상하는 것도 용기를 발휘하는 데 도움이 됩니다. 성공을 상상하고, 그로 인해 얻을 수 있는 성취감을 느껴보세요. 예를 들어, 마라톤 완주를 상상하고, 그로 인해 얻을 수 있는 성취감을 느껴보는 것이 이에 해당합니다. 이런 성공 상상은 용기를 높이고, 도전에 나설 동기를 제공합니다.

이처럼 여러 가지 방법을 통해 새로운 도전에 용기를 발휘할 수 있습니다. 그리고 용기를 발휘하여 새로운 도전을 시작하면, 그 결과로 우리는 한계를 극복하고 더 큰 성취를 이룰 수 있습니다. 이 모든 과정을 통해 우리는 더 큰 성장을 이루게 됩니다.

10. 행동하는 자신으로 거듭나기

행동하는 자신으로 거듭나기 위해서는 미루는 습관을 극복하고, 새로운 습관을 형성하는 것이 중요합니다. 자기 인식과 반성, 성공 경험 축적, 긍정적인 자기 대화, 목표 설정과 달성, 지속적인 학습과 성장, 주기적인 자기 점검 등을 통해 새로운 나로 거듭나세요. 또한, 작은 습관부터 시작, 일관된 실천, 환경 조성, 습관 쌓기, 피드백과 보상, 지원 시스템 구축, 긍정적 자기 대화, 비전 보드 등의 방법을 통해 새로운 습관을 형성하세요. 작은 변화가 모여 큰 성취를 이루게 됩니다.

새로운 나로 거듭나기: 미루는 습관을 극복한 자신

미루는 습관을 극복한 후, 우리는 새로운 자신으로 거듭날 수 있습니다. 이러한 변화는 우리의 삶에 긍정적인 영향을 미치며, 더 큰 성취를 가능하게 합니다. "미루는 습관을 극복한 후,

어떻게 새로운 나로 거듭날 수 있을까요?"라는 질문에 대한 답은 간단합니다. 새로운 자신으로 거듭나기 위해서는 다음의 단계를 따라야 합니다.

이를 통해 미루는 습관을 극복하고 새로운 당신으로 거듭날 수 있습니다. 이렇게 단계 별로 나아가면서 새로운 나로 거듭나는 과정을 경험해 보세요. 그리고 중요한 것은, 이 모든 과정이 직업이 아니라 하루하루의 일상 속에서 이루어진다는 것을 잊지 마세요. 변화는 바로 지금, 이 순간부터 시작됩니다.

자기 인식과 반성: 미루는 습관을 극복하는 첫 번째 단계는 자신이 왜 그렇게 행동하는지 이해하는 것입니다. 왜 일을 미루는지, 어떤 상황에서 미루는 습관이 나타나는지를 반성해 보세요. 이 과정에서 자신의 행동 패턴을 이해하고, 개선 방향을 찾을 수 있습니다.

성공 경험 축적: 작은 성공 경험을 쌓아가며 자신감을 높여보세요. 작은 목표를 하나씩 달성하며 성취감을 느끼는 것이 중요합니다. 이 경험은 나중에 더 큰 목표를 향한 도전을 할 때, 큰 도움이 될 것입니다.

긍정적인 자기 대화: 자신에게 긍정적인 말을 걸어보세요. "나는 할 수 있어", "나는 강하다"와 같은 말을 자기 자신에게 해보세요. 이런 긍정적인 자기 대화는 자신감을 높이고, 새로운 습관 형성에 큰 도움이 됩니다.

목표 설정과 달성: 구체적이고 달성 가능한 목표를 설정하고, 이를 꾸준히 실천하는 것이 중요합니다. 목표를 달성하는 경험을 통해 자신감을 높일 수 있습니다.

지속적인 학습과 성장: 새로운 지식과 기술을 배우고, 이를 통해 자신의 한계를 확장하는 것을 잊지 마세요. 계속해서 학습하고 성장하는 과정에서 새로운 나로 거듭날 수 있습니다.

주기적인 자기 점검: 주기적으로 자신의 행동과 목표를 점검하는 것이 중요합니다. 이를 통해 자신의 진행 상황을 확인하고, 필요한 경우 목표를 조정할 수 있습니다.

행동하는 나: 새로운 습관의 형성

우리가 새로운 삶의 방향으로 나아가기 위해, 우리는 새로운 습관을 형성하고 이를 유지해야 합니다. 이러한 새로운 습관은 우리의 삶을 긍정적으로 변화시키는 역할을 합니다. 여러분이 생각하실 수도 있겠지만, "어떻게 새로운 습관을 형성할 수 있을까요?" 새로운 습관을 만드는 것은 쉬운 일이 아닙니다. 하지만, 아래에 제시된 단계들을 따라가며 변화의 첫 단계를 시작할 수 있습니다.

작은 습관부터 시작: 습관 형성이라는 여정에서, 작은 습관부터 시작하는 것이 중요합니다. 예를 들어, "매일 10분씩 명상하기"와 같은 작은 습관을 시작하면, 이는 새로운 습관을 형성하는 큰 변화의 첫걸음이 됩니다. 작은 습관부터 시작하게 되면, 그것은 복잡하고 어려운 변화 대신 간단하고 직접적인 변화를 경험할 수 있게 해줍니다. 작은 습관은 쉽게 시작할 수 있고, 그리고 그것을 꾸준히 실천하는 것이 가능합니다.

일관된 실천: 새로운 습관을 형성하는 데 있어서 일관된 실천은 중요한 역할을 합니다. 매일 같은 시간에 같은 활동을 반복하게 되면, 이는 점차 우리의 일상에 자리 잡게 됩니다. 예를 들어,

매일 아침 6시에 일어나서 10분 동안 운동하는 습관을 형성하는 것입니다. 이런 일관된 실천은 습관 형성을 촉진하고, 꾸준한 변화를 가능하게 합니다.

환경 조성: 긍정적인 환경을 조성하는 것도 습관 형성에 중요한 요소입니다. 우리의 환경은 우리의 행동에 큰 영향을 미칩니다. 긍정적인 환경을 조성하면, 새로운 습관을 쉽게 형성하고 유지할 수 있습니다.

습관 쌓기: 이미 잘 지키고 있는 습관 위에 새로운 습관을 추가하는 것도 효과적인 방법입니다. 이를 습관 쌓기라고 합니다. 기존의 습관에 새로운 행동을 추가하면, 새로운 습관을 더 쉽게 형성할 수 있습니다.

피드백과 보상: 새로운 습관을 지키는 과정에서 작은 성취를 달성할 때마다 자신에게 작은 보상을 주는 것이 좋습니다. 이는 동기부여를 높이고, 새로운 습관을 지속할 수 있도록 도와줍니다.

지원 시스템 구축: 친구나 가족과 함께 새로운 습관을 형성하는 것도 도움이 됩니다. 서로의 진행 상황을 확인하며 피드백을 주고받는 것입니다. 이것은 새로운 습관을 형성하고 유지하는 데 필요한 지원 시스템을 만드는 것입니다.

긍정적 자기 대화 : 긍정적인 자기 대화는 새로운 습관을 형성하는 데 중요한 역할을 합니다. "나는 할 수 있어", "나는 꾸준히 실천할 것이다"와 같은 긍정적인 말을 자신에게 걸어보세요. 이는 자신감을 높이고, 새로운 습관을 지속하는 데 도움이 됩니다.

비전 보드: 비전 보드를 만들어 새로운 습관을 시각적으로 표현하세요. 이는 새로운 습관을 명확하게 인식하고, 꾸준히 실천할 수 있도록 도와줍니다. 비전 보드는 우리의 목표를 명확히 보여주며, 이를 향해 나아가는 동기를 부여해줍니다.

11. 백캐스팅 기법으로 미래 설계

백캐스팅 기법: 원하는 미래에서 현재로 돌아보기

이 글에서는 백캐스팅이라는 기법을 통해 원하는 미래를 설계하는 방법에 대해 살펴보겠습니다. 백캐스팅 기법이란, 원하는 미래를 설정한 후 그 미래를 실현하기 위해 현재에서 필요한 단계를 계획하는 방법을 말합니다. 이 방법은 목표 달성에 매우 효과적인 방법입니다. 어떻게 이 기법을 활용하여 원하는 미래를 설계할 수 있는지 상세히 알아봅시다.

미래 비전 설정: 우리가 원하는 미래를 상상하고 이를 명확하게 정의하는 것이 백캐스팅 기법의 첫 단계입니다. 10년 후에 어떤 삶을 살고 싶은지, 그 모습은 어떠한지 구체적으로 상상하고 정의해보세요. 이 과정에서는 자신이 향하고자 하는 방향을 명확히 인식하는 것이 중요합니다.

미래의 성공 정의: 다음으로는 미래의 성공을 구체적으로 정의해야 합니다. 자신이 설정한 미래 비전이 성공적으로 이루어진 상태를 구체적으로 설명해보세요. 이 과정에서는 자신이 추구하는 성공의 정의를 명확히 인식하고 이를 향해 나아갈 수 있는 동기를 부여받습니다.

현재와의 차이 분석: 다음 단계는 현재의 상태와 미래의 비전 사이의 차이를 분석하는 것입니다. 이를 통해 자신이 어떤 변화를 이끌어내야 하는지 명확히 알 수 있습니다. 현재의 상태를 정확히 진단하고, 이를 통해 앞으로 나아가야 할 방향을 설정하는 것이 중요합니다.

필요한 변화와 단계 설정: 미래의 비전과 현재의 상태 사이의 차이를 바탕으로, 그 차이를 메우기 위해 필요한 변화를 정의하고, 이를 달성하기 위한 단계를 설정해야 합니다. 이 과정에서는 자신이 나아가야 할 방향을 명확히 설정하고, 그 방향을 향해 어떤 단계를 거쳐야 하는지를 계획합니다.

단계별 목표 설정: 각 변화를 이루기 위한 단계별 목표를 설정해야 합니다. 작은 단계로 나누어 목표를 설정하면, 목표 달성이 더 쉬워집니다. 이 과정에서는 자신이 달성하고자 하는 목표를 작은 단계로 나누고, 이를 통해 단계별로 성취감을 느낄 수 있습니다.

실천 계획 수립: 마지막으로, 단계별 목표를 달성하기 위한 구체적인 실천 계획을 수립해야 합니다. 이 과정에서는 구체적인 행동 계획을 세우고, 이를 실행에 옮기는 것이 중요합니다.

백캐스팅 기법을 활용하면, 원하는 미래를 설정하고, 이를 실현하기 위한 구체적인 단계를 계획하는 것이 가능합니다. 이 기법을 활용하여 자신만의 미래를 설계하고, 매일매일 그 미래를 향해 나아가보세요.

목표 달성의 길: 구체적인 계획 수립

목표를 달성하기 위해서는 구체적인 계획을 수립하고, 이를 실천하는 것이 중요합니다. 구체적인 계획은 목표를 달성하는 길을 안내하는 지도와 같습니다. 그러니까, 어떻게 구체적인 계획을 수립하고 목표를 달성할 수 있을까요?

이에 대한 대답은 간단하지 않습니다. 다양한 요소와 전략이 필요하며, 각 개인의 상황과 목표에 따라 이들이 어떻게 적용되는지가 달라집니다. 하지만 여기에는 여러 가지 방법이 있습니다. 이들 중 일부는 시간 관리, 자원 분배, 우선 순위 설정 등을 포함합니다. 이러한 방법들을 통해 우리는 더 효과적으로 목표를 달성할 수 있습니다. 이러한 방법들을 활용하여 목표를 달성하고자 하는 분들에게 도움이 되길 바랍니다!

SMART 목표 설정: 구체적(Specific), 측정 가능(Measurable), 달성 가능(Achievable), 관련성 있는(Relevant), 시간 제한이 있는(Time-bound)의 약자인 SMART 목표 설정은 목표를 설정하는데 있어 중요한 기준입니다.

예를 들어, "6개월 안에 체중 5kg 감량하기"라는 목표는 SMART 목표에 부합하며, 이는 6개월이라는 구체적인 시간 동안 체중 감량이라는 명확한 목표를 설정하고, 그 진행 상황을 측정하며 달성 가능한 범위에서 계획하는 것을 의미합니다. 이런 식으로 명확하고 구체적인 목표를 설정하면, 목표 달성의 가능성을 높일 수 있습니다.

우선순위 설정: 모든 일을 한꺼번에 시작하려 하면, 오히려

아무것도 시작하지 못하는 경우가 많습니다. 그래서 가장 중요한 일부터 차근차근 시작하는 것이 중요합니다. 예를 들어, 건강을 위한 목표를 세웠다면 "하루 10분씩 걷기 시작 → 식단 개선 → 스트레스 관리"와 같이 우선순위를 정하고 진행하는 것이 좋습니다. 이렇게 우선순위를 정하면 목표 달성에 필요한 단계를 명확히 인식하고 각 단계를 체계적으로 진행할 수 있습니다.

진행 상황의 기록: 목표 달성의 과정을 기록하면, 어디까지 왔는지, 어떤 부분이 개선되어야 하는지 등을 명확하게 파악할 수 있습니다. 또한 이를 통해 성취감을 느낄 수 있어, 동기 부여에도 큰 도움이 됩니다. 예를 들어, 운동을 할 때 매일의 운동 시간, 운동 종류, 소모한 칼로리 등을 기록하면, 이를 통해 운동 효과를 체계적으로 관리하고, 필요한 부분을 쉽게 파악하여 개선할 수 있습니다.

피드백과 조정: 같은 실수를 반복하지 않기 위해서는, 주기적으로 피드백을 받고, 필요한 경우 목표를 조정하는 것이 필요합니다. 예를 들어, 체중 감량을 목표로 했다면, 주별로 체중 변화를 기록하고, 목표 달성에 따라 식단이나 운동 계획을 조정하는 것이 좋습니다. 이때, 친구나 가족에게 자신의 계획과 진행 상황을 공유하고 피드백을 받는 것도 도움이 됩니다.

보상 시스템 구축: 작은 목표를 달성할 때마다 자신에게 작은 보상을 주는 것입니다. 예를 들어, 한 주 동안 매일 운동을 실천했다면, 자신에게 좋아하는 간식을 주거나, 좋아하는 영화를 보는 시간을 갖는 것입니다. 이런 보상 시스템은 동기 부여를 높이고, 목표 달성을 지속하게 만듭니다.

지원 시스템 활용: 친구, 가족, 멘토 등 주변 사람들의 지원을 받으면, 목표 달성에 대한 동기 부여와 책임감이 높아집니다. 예를 들어, 같이 운동을 할 친구를 구하거나, 가족에게 식단 관리를 도와달라고 요청하는 것 등이 있습니다. 이렇게 지원 시스템을 활용하면, 목표 달성이 어렵고 지치는 경우에도 도움을 받아 꾸준히 목표를 이어나갈 수 있습니다.

긍정적인 자기 대화: "나는 할 수 있어", "나는 꾸준히 실천할 것이다"와 같은 긍정적인 말을 자신에게 하면, 자신에 대한 긍정적인 인식과 자신감이 생겨 목표 달성에 도움이 됩니다. 이런 긍정적인 자기 대화는 스스로를 격려하고, 도전을 계속하는데 도움이 됩니다.

비전 보드 만들기: 목표를 시각적으로 표현하는 비전 보드를 만들면, 목표에 대한 실감과 동기를 더욱 높일 수 있습니다. 예를 들어, 체중 감량을 목표로 했다면, 목표 체중에 도달한 자신의 모습이나 원하는 모습의 사진을 비전 보드에 붙이고, 이를 잘 보이는 곳에 두는 것이 좋습니다. 이렇게 비전 보드를 만들면, 목표를 명확하게 인식하고, 꾸준히 실천할 수 있도록 도와줍니다.

12. 장애물 극복 전략

문제 해결 전략: 예상치 못한 장애물 극복하기

목표 달성이나 특정한 행동을 취하는 과정에서, 우리는 종종 다양한 장애물과 직면하게 됩니다. 이러한 장애물들은 계획을 방해하고 우리의 진척을 저해하는 역할을 합니다. 그러나 장애물은 본질적으로 우리가 성장하고 배울 수 있는 기회를 제공합니다.

이러한 장애물을 효과적으로 극복하는 방법에 대해 이야기하고, 적절한 전략과 접근법을 통해 어떻게 이들을 극복하고 우리의 목표를 달성할 수 있는지에 대해 논의해보겠습니다.

장애물 인식과 분석: 장애물을 극복하는 첫 번째 방법은, 장애물을 명확히 인식하고 그 원인을 분석하는 것입니다. 예를 들어, "운동을 지속적으로 하지 못하는 이유는 무엇일까?"라고 생각해보는 것입니다. 그 원인이 시간이 부족하다거나 동기 부여가 부족한 것이라면, 여기서부터 개선을 시작해볼 수 있습니다. 이때, 원인을 정확히 파악하는 것이 중요하며, 이를 위해 자신의 일상을 세밀하게 관찰해보는 것이 도움이 될 수 있습니다.

목표와 우선순위 재조정: 다음으로, 목표와 우선순위를 재조정하는 것이 중요합니다. 다른 일정을 조정하여 운동 시간을 확보하거나, 다른 일보다 운동을 먼저 하도록 스케줄을 변경하는 등의 방법을 생각해볼 수 있습니다. 우선순위를 재조정함으로써 중요한 목표를 먼저 달성할 수 있게 됩니다. 이 과정에서 자신이 중요하게 생각하는 가치와 목표를 명확히 인식하고 이에 따라 일상을 조정하는 것이 중요합니다.

대안적인 계획 세우기: 장애물에 부딪혔을 때 대안적인 계획을 세우는 것도 중요합니다. 예를 들어, 야외에서 운동을 하려 했는데 날씨가 좋지 않다면, 실내에서 운동할 수 있는 방법을 생각해보는 것입니다. 이러한 대체 계획은 예상치 못한 상황에도 목표를 계속 추구할 수 있도록 돕습니다. 여기에는 유연성이 중요하며, 계획을 변경하거나 새로운 방법을 시도하는 것에 대한 열린 마음이 필요합니다.

문제 해결 기법 활용: 다음 단계는 다양한 문제 해결 기법을 활용하여 장애물을 극복하는 것입니다. 브레인스토밍을 활용하여 해결책을 모색하고, 그 중 최적의 방법을 선택하는 것이 좋습니다. 이 과정에서 다양한 접근 방법을 고려하고, 각 방법의 장단점을 비교 분석하는 것이 중요합니다.

지속적인 학습과 개선: 장애물을 극복하는 과정에서는 지속적인 학습과 개선이 필요합니다. 장애물을 경험하면서 얻은 교훈을 바탕으로 자신의 접근 방식을 개선해나가야 합니다. 예를 들어, 일정 관리에서 어려움을 겪었다면, 효율적인 시간 관리 방법에 대해 배우고 적용해보는 것이 좋습니다. 이 과정에서 자신의 장점과 약점을 인지하고 이를 바탕으로 자신만의 해결 전략을 개발하는 것이 중요합니다.

도움 요청: 혼자서 모든 문제를 해결하기 어렵다면, 주변 사람들에게 도움을 청하는 것도 좋습니다. 친구나 가족, 동료 등에게 조언을 구하고 함께 문제를 해결해가는 것이 중요합니다. 이 과정에서 타인의 경험과 지식을 활용하고, 서로 도와가며 문제를 해결하는 것이 중요합니다.

스트레스 관리: 마지막으로, 장애물을 마주했을 때 발생하는 스트레스를 관리하는 것이 중요합니다. 스트레스는 문제 해결 능력을 저하시키기 때문에, 명상이나 운동, 취미 활동 등을 통해 스트레스를 관리하고 평정심을 유지하는 것이 좋습니다. 이 과정에서 자신만의 스트레스 해소 방법을 찾고 이를 일상에 적용하는 것이 중요합니다.

이렇게 여러 단계를 거쳐 장애물을 극복하면, 우리는 목표 달성을 위한 길을 뚫어나갈 수 있습니다. 이 과정에서 중요한 것은, 장애물이 우리의 목표 달성을 방해하는 것이 아니라, 우리가 그 목표를 얼마나 간절히 원하는지를 시험하는 것이라는 사실을 기억하는 것입니다.

어려움은 결국 우리를 더 강하게 만들어줍니다. 그러니 장애물에 부딪혔을 때, 그것을 극복하는 과정에서 배울 수 있는 것들을 잊지 말고, 이를 통해 더욱 성장해나가기를 바랍니다.

도전과 극복: 성공을 향한 여정

성공으로 가는 여정은 다양한 도전과 장애물을 극복하는 복잡하고 어려운 과정입니다. 이 과정을 통해 우리는 개인적인 강인함을 키우고, 필요한 기술을 향상시키며, 실질적인 학습 경험을 얻고 지속적인 성장을 촉진시킵니다. 작은 목표를 설정하고 이를 성실하게 실행하면, 우리는 변화를 촉발시키고 개인적인 발전을 촉진시킬 수 있습니다.

도전은 변화의 중요한 구성 요소이며, 성공은 일반적으로 한 번에 이루어지지 않습니다. 실패와 역경을 만나는 것은 불가피하나, 이를 통해 우리는 더 강해지고 성장합니다. 이 과정에서 가장 중요한 것은 도전을 극복하고자 하는 의지와 결심입니다.

이 여정은 시작부터 행동으로 이어지는 복잡한 과정이며, 실패를 이겨내고 지속적으로 노력하면서 목표를 달성하는 것을 포함합니다. 이 과정에서 우리는 내면의 힘과 결의를 발휘하여 삶을 긍정적으로 변화시키고, 개인적인 성취를 이루는 데 필요한 동기부여를 얻을 수 있습니다.

아래에 제시된 내용들을 참고하시면, 변화를 위한 첫 단계를 시작하는 데 큰 도움이 될 것입니다. 이 단계들은 변화를 추구하는 데 필요한 과정을 간략하게 정리한 것이며, 각 단계를 따라 가면서 변화를 체계적이고 효과적으로 추진할 수 있습니다.

시작과 동기 부여: 변화의 여정은 목표 설정과 동기 부여로 시작됩니다. 무엇을 바꾸고 싶은지, 왜 그것을 바꾸고 싶은지를 명확하게 알고 있는 것이 중요합니다. 예를 들어, 우리가 건강한 생활 습관을 만들고자 한다면, 그 원동력은 우리의 건강을 개선하고, 더 나은 삶을 살고자 하는 욕구에서 비롯됩니다. 이 동기는 어려움에 부딪혔을 때 우리를 견뎌내게 만드는 힘입니다. 이를 실천하기 위해서는, 목표를 세우고 이를 위한 계획을 세워야 합니다. 예를 들어, 운동을 하고자 한다면, 어떤 운동을 어떻게, 얼마동안 할지를 구체적으로 계획합니다.

작은 성취의 중요성: 큰 성공은 작은 성공들이 모여 이루어집니다. 큰 목표를 설정하고 그것을 작은 단계로 나누어 시작하는 것이 중요합니다. 예를 들어, 우리가 체중을 감량하고자 한다면, 그것을 "하루에 500g씩 감량하기"와 같은 작은 목표로 나누어 시작할 수 있습니다. 이 작은 목표들을 달성함으로써 우리는 성취감을 느낄 수 있으며, 이는 우리가 변화를 이끌어낼 수 있는 힘을 부여합니다. 한 단계씩 목표를 달성하면서, 우리는 자신이 성장하는 것을 경험할 수 있습니다.

내면의 도전 극복: 때로는 우리 스스로가 변화의 가장 큰 장애물이 됩니다. 내부적인 두려움이나 불안이 우리의 행동을 방해할 수 있습니다. 예를 들어, 새로운 일을 시작하는 것이 두려워서 계속

미루는 경우가 이에 해당합니다. 이러한 두려움을 인식하고 이를 극복하는 방법을 찾는 것이 중요합니다. 두려움을 극복하기 위한 방법으로는 두려움에 직면하거나, 자신에게 격려의 말을 건네는 등이 있습니다. 이렇게 하면 우리는 우리의 두려움을 극복하고 변화를 실현하는데 필요한 힘을 발휘할 수 있습니다.

실패와 역경의 극복: 모든 성공의 뒤에는 실패와 역경이 있습니다. 실패는 성공으로 가는 길목에서 우리를 더 강하게 만들어주는 중요한 과정입니다. 실패를 두려워하지 않고, 오히려 실패를 통해 무언가를 배우는 경험으로 바라보는 것이 중요합니다. 예를 들어, 우리가 새로운 스킬을 배우거나 새로운 일을 시작하는데 실패했을 때, 그 실패를 경험으로 받아들이고 다시 도전하는 것이 중요합니다. 실패에서 배운 교훈은 다음 도전에서 성공으로 이어질 수 있습니다.

지속적인 노력과 꾸준함: 변화는 하루아침에 이루어지지 않습니다. 지속적인 노력과 꾸준한 행동이 필요합니다. 우리는 우리의 목표를 향해 꾸준히 앞으로 나아가야 하며, 어떤 어려움이든지 포기하지 않고 계속 노력해야 합니다. 예를 들어, 우리가 새로운 언어를 배우고자 한다면, 매일 일정 시간 동안 공부하는 것이 중요합니다. 이런 지속적인 노력과 꾸준함이 우리가 변화를 이끌어내고 성공을 향해 나아가는 데 필요한 열쇠입니다. 이를 위해서는 일정한 루틴을 만들고, 이를 꾸준히 실천하는 것이 필요합니다.

제 4 장

시간 관리와
스케줄링의 마법

시간 관리와 스케줄링의 중요성에 대해 다루며, 효율적인 시간 관리와 일정 관리 방법, 기본 원칙, 스케줄링 도구의 활용을 배우게 됩니다. 이를 통해 더 많은 일을 더 짧은 시간에 처리하고 더 많은 성과를 달성하는 방법을 이해하고 익히게 됩니다.

1. 시간의 정원 가꾸기

시간의 정원을 가꾸기 위해 효과적인 시간 관리 전략과 시간 블록법을 활용하세요. 우선순위 설정, To-Do 리스트 작성, 시간 차단 기법, 목표 설정과 계획 수립, 휴식 시간 확보, 디지털 디톡스, 반복적인 일정 설정, 스트레스 관리 등의 방법을 통해 하루를 설계하세요. 또한, 시간 블록 설정, 집중 시간과 휴식 시간의 균형, 우선순위에 따른 시간 블록 배정, 유연한 시간 블록 관리, 디지털 도구 활용, 자기 점검과 피드백, 몰입과 플로우 상태 등의 방법을 통해 시간 블록법을 활용하세요. 작은 변화가 모여 큰 성취를 이루게 됩니다.

하루를 설계하는 법: 효과적인 시간 관리 전략

시간 관리의 중요성은 아무리 강조해도 지나치지 않습니다. 효과적인 시간 관리는 우리의 생산성을 높이고, 목표를 달성하는 데 필수적입니다.

그러나, 이는 단순히 시간을 잘게 나누어 관리하는 것만으로는 충분하지 않습니다. 우리가 어떻게 시간을 이용하고, 그 시간을 어떻게 가치있게 만들 수 있는지에 대한 전략이 필요합니다.

이러한 생각에서 출발하여, "어떻게 하루를 설계하고, 시간을 효과적으로 관리할 수 있을까요?"라는 질문이 생겨납니다. 이 질문에 대한 답변은 개인의 생활 습관, 일과, 그리고 선호도에 따라 달라질 수 있으므로, 각자에게 가장 적합한 방법을 찾아내는 것이 중요합니다.

우선순위 설정 : 효과적인 시간 관리는 우선순위를 설정하는 것에서 시작됩니다. 이는 하루 동안 해야 할 일들을 목록으로 작성하고, 그 중에서 가장 중요한 일부터 처리하는 방식입니다. 예를 들어, 아침에 가장 중요한 업무를 처리하고, 오후에는 덜 중요한 일을 처리하는 것이 좋습니다. 이렇게 우선순위를 설정하면 중요한 일을 미루지 않고 즉시 처리할 수 있습니다.

To-Do 리스트 작성: To-Do 리스트를 작성하여 하루 동안 해야 할 일들을 시각적으로 확인하세요. 이렇게 하면 어떤 일을 먼저 처리해야 하는지, 그리고 어느 정도의 일을 처리해야 하는지 명확히 파악할 수 있습니다. 예를 들면, 오늘 해야 할 일을 목록으로 작성하고, 각 항목을 완료할 때마다 체크하는 것입니다. 이렇게 To-Do 리스트를 작성하면 우리의 목표를 시각적으로 확인하고, 동기를 유지하는 데 큰 도움이 됩니다.

시간 차단 기법: 시간 차단 기법은 특정 시간 동안 하나의 일에만 집중하는 방법입니다. 예를 들어, 25분 동안 일에 집중하고, 그 후 5분 동안 휴식을 취하는 '포모도로 기법'을 활용해보세요. 이 기법은 우리의 집중력을 높이고, 일을 미루지 않고 즉시 처리할 수 있도록 도와줍니다. 시간 차단 기법은 우리의 생산성을 높이는 데 큰 도움이 됩니다.

목표 설정과 계획 수립: 하루를 시작하기 전에 그날의 목표를 설정하고, 이를 달성하기 위한 계획을 수립하세요. 예를 들어, "오늘은 중요한 프로젝트를 마무리하자"라는 목표를 설정하고, 이를 위해 어떤 일을 해야 할지 구체적으로 계획하는 것입니다. 이렇게 목표 설정과 계획 수립을 통해, 우리의 행동을 구체적으로 이끌 수 있습니다.

휴식 시간 확보: 효과적인 시간 관리를 위해서는 휴식 시간을 확보하는 것도 중요합니다. 일정 시간 동안 집중한 후에는 반드시 휴식을 취하여 몸과 마음을 재충전하세요. 예를 들어, 90분 동안 일한 후 10분 동안 휴식을 취하는 것입니다. 휴식 시간 확보는 우리의 집중력을 유지하고, 피로를 줄이는 데 도움이 됩니다.

디지털 디톡스: 시간 관리를 방해하는 주요 요소 중 하나는 디지털 기기입니다. 하루 일정 중 특정 시간을 정해 디지털 기기를 사용하지 않는 '디지털 디톡스' 시간을 가지세요. 예를 들어, 아침 일찍이나 저녁 늦게 디지털 기기 사용을 제한하는 것입니다. 디지털 디톡스는 우리의 집중력을 높이고, 시간을 효율적으로 사용할 수 있게 합니다.

반복적인 일정 설정: 반복적인 일정을 설정하여 일관된 생활 패턴을 유지하세요. 예를 들어, 매일 아침 7시에 일어나 운동을 하고, 8시에 업무를 시작하는 등의 일정을 반복적으로 설정하는 것입니다. 반복적인 일정은 우리의 생산성을 높이고, 시간을 효율적으로 관리할 수 있게 합니다.

스트레스 관리: 시간 관리를 잘하기 위해서는 스트레스를 관리하는 것도 중요합니다. 스트레스는 우리의 집중력을 저하시키고, 시간을 비효율적으로 사용할 수 있게 만듭니다. 명상, 운동, 취미 활동 등을 통해 스트레스를 관리하세요. 스트레스 관리는 우리의 생산성을 높이고, 시간을 효율적으로 사용할 수 있게 합니다.

시간 블록법: 집중과 휴식의 균형

시간 블록법은 시간을 일정한 블록으로 나누어 집중과 휴식을 균형 있게 배분하는 방법입니다. 이 방법은 우리의 생산성을 극대화하고, 효율적으로 시간을 관리하는 데 도움이 됩니다. "어떻게 시간 블록법을 활용하여 집중과 휴식의 균형을 맞출 수 있을까요?"

1. 시간 블록 설정: 시간 블록법의 첫 단계는 하루를 일정한 블록으로 나누어 관리하는 것입니다. 이렇게 하면 일과 휴식의 시간을 명확히 구분하고, 각 시간 블록을 효율적으로 활용할 수 있습니다. 예를 들어, 하루를 9시부터 12시까지의 업무 시간, 12시부터 1시까지의 점심 시간, 1시부터 3시까지의 집중 업무 시간, 3시부터 3시 30분까지의 휴식 시간, 그리고 3시 30분부터 5시까지의 마무리 업무 시간 등으로 나누는 것입니다. 이렇게 시간 블록을 설정하면 우리의 시간을 체계적으로 관리하고, 각각의 시간 블록에 목표를 설정하여 생산성을 높일 수 있습니다.

2. 집중 시간과 휴식 시간의 균형: 시간 블록법은 집중 시간과 휴식 시간을 균형 있게 배분하는 것이 중요합니다. 일정 시간 동안 집중하여 일을 처리한 후에는 반드시 휴식을 취하여 몸과 마음을 재충전해야 합니다. 예를 들어, 90분 동안 집중하여 일을 처리한 후에는 10분 동안 휴식을 취하는 것입니다. 집중 시간과 휴식 시간의 균형은 우리의 생산성을 유지하고, 피로를 줄이는 데 도움이 됩니다. 또한, 이는 오랜 시간 일을 해도 피로감을 줄이고, 일의 효율성을 높일 수 있습니다.

3. 우선순위에 따른 시간 블록 배정: 우선순위에 따라 시간 블록을 배정하는 것 역시 중요합니다. 가장 중요한 일부터 처리하기 위해 하루 중 가장 집중력이 높은 시간을 활용하는 것이 좋습니다. 예를 들어, 오전 시간에 가장 중요한 업무를 처리하고, 오후에는 덜 중요한 업무를 처리하는 것이 좋습니다. 이렇게 우선순위에 따른 시간 블록 배정을 하면 중요한 일을 먼저 처리하고, 나머지 시간에는 덜 중요한 일을 처리하는 방식으로 일을 진행할 수 있습니다.

4. 유연한 시간 블록 관리: 시간 블록법은 유연하게 관리하는 것이 중요합니다. 예상치 못한 일이 발생하거나 계획이 변경될 수 있기 때문에, 시간 블록을 유연하게 조정해야 합니다. 예를 들어, 갑작스럽게 회의가 잡히면, 그에 따라 시간 블록을 조정하여 다른 업무를 처리하는 시간을 확보하는 것입니다. 이런 방식으로 유연한 시간 블록 관리를 하면, 일정 변경에 대응할 수 있고, 효율적으로 일을 관리할 수 있습니다.

5. 디지털 도구 활용: 디지털 도구를 활용하여 시간 블록을 관리하는 것은 시간 관리에 큰 도움이 됩니다. 구글 캘린더, 트렐로, 노션 등과 같은 도구를 사용하여 시간 블록을 설정하고, 일정을 관리하면서 생산성을 높일 수 있습니다. 이런 도구들은 시간 블록을 시각적으로 표현하므로, 시간의 흐름과 일의 진행 상황을 한눈에 파악할 수 있습니다.

6. 자기 점검과 피드백: 자신의 시간 블록 관리 상태를 정기적으로 점검하고, 필요한 경우에는 조정하는 것이 중요합니다. 예를 들어, 매주 일요일 저녁에 한 주 동안의 시간 블록 관리 상태를 점검하고,

다음 주의 계획을 세우는 것입니다. 이렇게 자기 점검과 피드백을 통해 시간 블록 관리를 지속적으로 개선하면, 시간 관리 능력을 향상시킬 수 있습니다.

7. 몰입과 플로우 상태: 시간 블록법을 통해 집중 시간을 최대한 활용하여 몰입과 플로우 상태를 경험해 보세요. 몰입 상태는 우리가 하는 일에 완전히 집중하고, 시간 감각을 잃을 정도로 깊이 빠져드는 상태를 말합니다. 예를 들어, 중요한 프로젝트를 처리할 때 시간 블록을 활용하여 몰입 상태에 도달하는 것입니다. 특히, 플로우 상태란, 몰입 상태가 깊어져서 마치 시간이 멈춘 듯한 상태를 말하는데, 이 상태에 이르면 생산성이 극대화되는 것으로 알려져 있습니다.

2. 스케줄링의 예술

계획과 실행: 스케줄링의 기본 원칙

시간 관리와 스케줄링의 핵심은 목표 설정, 우선순위 설정, 일정 세우기, 시간 블록화, 유연성 유지, 그리고 피드백과 개선입니다. 이들은 명확한 방향성 제공, 중요한 일의 처리, 효율적인 시간 활용, 예상치 못한 상황 대응, 그리고 계획의 개선을 통해 더 나은 결과를 얻는 데 도움이 됩니다.

목표 설정: 스케줄링의 첫 번째 단계는 목표 설정입니다. 목표를 설정하면 우리의 노력을 명확하게 방향 짓고, 계획을 세우는 데 도움이 됩니다. 목표를 설정할 때는 구체적이고 현실적인 목표를 세우는 것이 중요합니다. 예를 들어, "이번 주에 새로운 프로젝트를 시작하고, 2주 안에 완료하기"와 같은 목표를 설정하는 것은

명확하고 단계별로 세분화된 목표를 제시합니다. 이는 프로젝트의 시작과 완료를 명확히 하여, 실제로 어떤 일을 언제 해야 하는지 알 수 있게 돕습니다.

우선순위 설정: 계획을 세울 때는 우선순위를 설정하는 것이 중요합니다. 우선순위를 설정하면 중요한 일부터 처리하여 시간을 효율적으로 활용할 수 있습니다. 우선순위를 설정할 때는 가장 중요하고 급한 일부터 처리하세요. 예를 들어, 오늘 해야 할 일 중 가장 중요한 것부터 목록을 작성하고, 그것부터 처리하는 것은 일의 우선순위를 정립하고, 중요한 일의 빠른 완료를 도모하게 합니다.

일정 세우기: 계획을 세울 때는 일정을 세워야 합니다. 일정을 세우면 우리의 시간을 효율적으로 활용할 수 있습니다. 일정을 세울 때는 일정을 세울 때는 우리의 생활 패턴과 우선순위에 따라 일정을 조정하세요. 예를 들어, 아침에는 운동을 하고, 오전에는 중요한 업무를 처리하고, 오후에는 회의를 진행하는 등의 일정을 세우는 것은 당신의 일과 레저 시간을 체계적으로 관리하고, 시간을 효율적으로 활용하게 합니다.

시간 블록화: 시간 블록화는 일정을 시간 블록으로 나누어 관리하는 방법입니다. 시간 블록화를 통해 우리의 시간을 효율적으로 관리할 수 있습니다. 예를 들어, 아침 시간에는 운동 시간을 블록으로 만들고, 오전에는 업무 시간을 블록으로 만드는 것은 각각의 일에 필요한 시간을 명확히 하여, 일과 휴식 시간을 효율적으로 배분하게 합니다.

유연성 유지: 계획을 세울 때는 유연성을 유지하는 것이 중요합니다. 예상치 못한 일이 발생할 수 있기 때문에 계획을 세울 때는 충분한 여유를 두세요. 유연성을 유지하면 예상치 못한 일에 대처할 수 있고, 계획을 유연하게 조정할 수 있습니다. 예를 들어, 갑작스럽게 회의가 잡히면 일정을 조정하여 다른 일정에 영향을 미치지 않도록 하는 것은 유연성이 요구되는 상황에서도 일정을 유지하게 돕습니다.

피드백과 개선: 계획을 세운 후에는 피드백을 받고 계획을 개선하세요. 피드백을 받으면 우리의 계획을 개선할 수 있고, 더 나은 결과를 얻을 수 있습니다. 피드백을 받을 때는 다른 사람의 의견을 경청하고, 우리의 계획을 개선하는 데 활용하세요. 예를 들어, 프로젝트를 진행하면서 팀원들로부터 피드백을 받아 보완할 점을 찾고, 다음에는 더 나은 계획을 세워보는 것은 계획의 효과를 극대화하고, 더 나은 결과를 얻을 수 있게 합니다.

디지털 도구 활용: 시간 관리 앱과 도구

디지털 시대가 도래하면서, 다양한 시간 관리 앱과 도구를 활용하여 일상에서의 시간을 더 효율적으로 관리할 수 있게 되었습니다. 이들 도구는 일정 관리, 업무 추적, 휴식 시간 설정 등 다양한 기능을 제공함으로써 개인의 생산성을 향상시키는 데 도움을 줍니다. 그렇다면 "디지털 도구를 활용하여 어떻게 시간을 관리할 수 있을까?"라는 질문에 대한 대답을 찾아보는 것이 중요합니다.

스케줄링은 계획과 실행의 예술입니다. 목표 설정, 우선순위 결정, 일정 조정, 시간 블록화, 유연성 유지, 피드백 수용 및 개선이 중요합니다. 또한, Google 캘린더, Trello, Notion, Todoist, Focus Booster 등과 같은 디지털 도구를 활용하여 시간을 더 효율적으로 관리할 수 있습니다. 스케줄링의 예술을 마스터하고, 목표 달성을 위해 생활을 조직화하세요.

Google 캘린더: Google 캘린더는 일정을 관리하는 데 유용한 도구입니다. 일정을 설정하고, 알림을 통해 중요한 일정을 놓치지 않도록 도와줍니다. 예를 들어, 회의나 중요한 일정을 설정하고, 이에 대한 알림을 받아 일정을 체계적으로 관리할 수 있습니다. 또한, 팀원이나 가족과 일정을 공유하면 협업이나 일정 조율이 쉬워집니다.

Trello: Trello는 프로젝트 관리를 위한 도구로 널리 사용되고 있습니다. 할 일 목록을 작성하고, 작업을 추적하고, 팀원들과 협업하는 것이 가능합니다. 예를 들어, 프로젝트의 각 단계를 카드로 만들고, 그 카드를 다른 컬럼으로 이동시키며 작업의 진행 상태를 확인할 수 있습니다. 이는 프로젝트의 전반적인 흐름을 한눈에 파악하고, 팀원 간의 작업 현황을 공유하는 데 큰 도움이 됩니다.

Notion: Notion은 다양한 기능을 제공하는 노트 및 작업 관리 앱입니다. 일정 관리, 할 일 목록 작성, 노트 작성 등 다양한 기능을 제공하며, 팀원들과 공유하여 협업을 할 수 있습니다. Notion 페이지를 만들어 프로젝트의 자료를 정리하고, 체크리스트를 만들어 할 일을 관리하며, 팀원과의 일정을 공유하면 프로젝트 관리가 한결 쉬워집니다.

Todoist: Todoist는 할 일 목록을 관리하는 데 유용한 앱입니다. 할 일을 입력하고, 우선순위를 설정하고, 일정을 추적하는 것이 가능합니다. 예를 들어, 할 일을 입력하고, 그 일에 대한 마감 기한과 우선순위를 설정하면, 그 일정에 맞춰 알림을 받아 할 일을 체계적으로 관리할 수 있습니다. 또한, 다양한 기기에서 동기화되어 언제 어디서든 일정을 확인하고 관리할 수 있습니다.

Focus Booster: Focus Booster는 시간을 추적하고 관리하는 데 유용한 앱입니다. 작업에 소요된 시간을 추적하고, 효율적으로 시간을 관리하는 것을 도와줍니다. 예를 들어, '포모도로 기법'을 활용하여 25분 동안 집중적으로 일을 하고, 그 후 5분 동안 휴식을 취하는 것을 돕습니다. 이렇게 시간을 분할하여 사용하면, 집중력을 높이고, 피로를 줄일 수 있습니다.

3. 우선순위 설정

중요한 것 먼저: 우선순위 매기기 방법

우선순위 설정은 우리가 시간을 효과적으로 관리하는 데 있어서 중추적인 요소입니다. 중요하다고 판단되는 일을 먼저 처리하고, 그 다음으로 중요도가 떨어지는 일들을 차례대로 처리함으로써, 시간을 최대한 효율적으로 활용할 수 있습니다. 이러한 시간 관리의 핵심인 우선순위 설정을 효과적으로 수행하기 위해서는 여러 가지 방법들을 활용할 수 있습니다. 이러한 방법들을 알아보고 적용해보면, 성공적인 시간 관리를 위한 발판을 마련할 수 있을 것입니다.

필수 작업 식별: 먼저, 모든 작업을 살펴보고 어떤 것이 가장 중요한지 식별하세요. 이는 해당 작업이 당신의 목표를 달성하는 데 얼마나 중요한지를 고려하여 결정됩니다. 예를 들어, 프로젝트의 성공 여부가 크게 의존하는 핵심 작업이 있다면, 그 작업은 필수 작업으로 분류될 수 있습니다. 이렇게 필수 작업을 먼저 식별하면, 우선순위를 결정하는 데 도움이 됩니다.

마감 기한 고려: 긴급한 작업이나 마감 기한이 있는 작업에 우선순위를 두세요. 이러한 작업은 주의를 요구하고 미루면 큰 문제가 될 수 있습니다. 예를 들어, 제출 기한이 임박한 보고서 작성이나, 곧 시작될 프레젠테이션 준비 등은 마감 기한을 고려하여 우선순위를 높게 설정해야 합니다.

비교적 쉬운 작업부터 시작: 종종 가장 어려운 작업이 가장 중요한 작업은 아닙니다. 따라서 비교적 쉬운 작업부터 시작하여 단계적으로 어려운 작업으로 넘어가세요. 이렇게 하면 작업을 더 쉽게 시작할 수 있습니다. 예를 들어, 메일 확인이나 간단한 의사록 작성 등은 큰 노력 없이 완료할 수 있는 작업이므로 먼저 시작해도 좋습니다.

목표와 연결: 작업을 평가할 때 그것이 당신의 목표와 어떻게 연관되는지 고려하세요. 목표에 더 가까운 작업에 우선순위를 두는 것이 중요합니다. 예를 들어, 특정 프로젝트를 성공적으로 완료하는 것이 당신의 목표라면, 그 프로젝트와 직접적으로 관련된 작업에 높은 우선순위를 설정해야 합니다.

에너지 수준 고려: 에너지가 가장 높을 때에는 가장 어려운 작업을 시작하세요. 에너지가 떨어지는 시간에는 더 쉬운 작업을 처리하는 것이 좋습니다. 예를 들어, 아침에 에너지가 가장 높을 때 복잡한 보고서를 작성하고, 오후에는 덜 중요한 이메일 처리나 간단한 작업을 처리하는 것이 효율적일 수 있습니다.

우선순위 정하기: 마지막으로, 위의 요소들을 종합하여 각 작업에 우선순위를 매겨보세요. 이를 통해 어떤 작업부터 시작해야 하는지 명확하게 결정할 수 있습니다. 예를 들어, 필수적이고 마감 기한이 임박한 작업, 그 다음으로 에너지 수준이 높은 시간에 처리할 수 있는 중요한 작업, 그리고 비교적 쉬운 작업 순서로 우선순위를 정하는 것이 효과적일 수 있습니다.

아이젠하워 매트릭스: 긴급성과 중요성의 균형

아이젠하워 매트릭스는 스티븐 아이젠하워가 제안한 우선순위 매기기 도구로, 작업을 긴급성과 중요성의 두 가지 기준으로 분류합니다. 이를 통해 우리는 어떤 작업이 우선적으로 처리되어야 하는지를 명확하게 파악할 수 있습니다.

긴급하고 중요한 작업 (긴급성과 중요성이 모두 높은 작업):

이러한 작업은 즉시 처리되어야 합니다. 이 작업들은 긴급하게 해결되어야 하며, 그 결과가 중대하기 때문에 무시할 수 없습니다. 이러한 작업에는 고객의 불만사항 처리, 기한이 임박한 프로젝트, 긴급한 회의 등이 포함됩니다. 예를 들어, 고객이 긴급하게 해결해야 하는 문제를 제기했다면, 이 작업은 긴급하고 중요한 작업에 해당하므로 즉시 처리해야 합니다.

중요하지만 긴급하지 않은 작업 (중요성은 높지만 긴급성은 낮은 작업):

이러한 작업은 계획을 통해 적절하게 처리할 수 있습니다. 즉, 긴급하지 않지만 중요하기 때문에 미리 계획하여 처리해야 합니다. 이러한 작업에는 자기개발, 관계 유지, 건강 관리 등이 포함됩니다. 예를 들어, 개인의 스킬 업그레이드를 위해 새로운 기술을 학습하는 것은 중요하지만 긴급하지 않은 작업에 해당하므로, 이를 위한 시간을 미리 계획하여 처리해야 합니다.

긴급하지만 중요하지 않은 작업 (긴급성은 높지만 중요성은 낮은 작업):

이러한 작업은 주의를 돌려야 하지만, 중요성이 낮기 때문에 다른 중요한 작업에 비해 우선순위가 낮습니다. 이러한 작업에는 일상적인 업무, 불필요한 회의, 일부 이메일 처리 등이 포함됩니다. 예를 들어, 회사 내부의 일상적인 업무는 긴급하지만 중요하지 않은 작업에 해당하므로, 이 작업은 다른 중요한 작업에 비해 우선순위가 낮습니다.

긴급하지도 중요하지도 않은 작업 (긴급성과 중요성이 모두 낮은 작업):

이러한 작업은 필요에 따라서만 처리하면 됩니다. 그러나 주의를 기울이지 않아도 되기 때문에 우선순위가 가장 낮습니다. 이러한 작업에는 SNS 확인, 뉴스 체크, 일정하지 않은 휴식 등이 포함됩니다. 예를 들어, SNS를 통해 친구의 최신 동향을 확인하는 것은 긴급하지도 중요하지도 않은 작업에 해당하므로, 이 작업은 다른 작업에 비해 우선순위가 가장 낮습니다.

4. 시간 도둑 퇴치

방해 요소 제거: 집중을 해치는 요소 극복하기

우리가 무슨 일을 하든, 집중력이 중요합니다. 하지만 많은 경우 우리의 집중력을 해치는 요소들이 우리의 작업 효율을 떨어뜨릴 수 있습니다. 이러한 요소들은 우리의 생산성을 저해하고, 우리가 해야 할 일을 완료하는 데 필요한 시간을 늘립니다.

그래서 이러한 요소들을 제거하고 집중력을 최대화하는 방법을 알아보는 것이 중요합니다. 이를 통해, 우리는 더 효과적으로 일할 수 있을 뿐만 아니라, 우리의 일상 생활에서 더 나은 성과를 거둘 수 있을 것입니다.

환경 최적화: 작업을 위한 환경을 최적화하는 것은 우리의 집중력을 향상시키는 중요한 단계입니다. 이는 조용하고 깨끗한 공간에서 작업하는 것이 집중에 도움이 됩니다. 예를 들어, 방해가 되는 물건들을 제거하고 편안한 의자와 책상을 사용하면 더욱 집중력을 높일 수 있습니다. 또한, 자연광을 최대한 활용하거나, 필요하다면 탁 트인 풍경이 보이는 공간에서 작업하면 더욱 효과적입니다.

디지털 방해 요소 제어: 스마트폰, 텔레비전, 소셜 미디어 등 디지털 매체는 집중을 방해하는 큰 요인입니다. 작업 시간동안 이러한 매체들을 최소화하거나 차단하는 것이 중요합니다. 예를 들어, 스마트폰의 '방해금지' 모드를 활용하거나 특정 앱의 알림을 꺼서 방해를 최소화할 수 있습니다. 더 나아가서, 디지털 디톡스를 시도해보는 것도 좋은 방법입니다.

일정 관리: 작업을 할 때 다른 일정들과 충돌하는 것을 피하는 것이 집중력을 높이는 데 도움이 됩니다. 예를 들어, 중요한 작업을 위해 시간을 예약하고 다른 일정을 조정하면 작업에 집중할 수 있습니다. 또한, 일과 후의 여가 시간을 확실히 보장하여 작업 시간에는 집중할 수 있도록 하는 것도 중요합니다.

우선순위 설정: 긴급하지 않은 작업이나 중요하지 않은 일들은 후순위로 미루고, 현재 중요한 작업에 집중하는 것이 좋습니다. 이렇게 하면 작업에 필요한 에너지와 시간을 효율적으로 사용할 수 있습니다. 예를 들어, 아이젠하워 매트릭스를 활용해 중요하지만 긴급하지 않은 일, 긴급하지만 중요하지 않은 일, 중요하고 긴급한 일, 중요하지도 긴급하지도 않은 일을 구분하고 그에 따라 우선순위를 정하는 것이 효과적입니다.

휴식과 운동: 일정한 휴식과 운동은 집중력을 높여줍니다. 규칙적인 휴식을 취하고 운동을 통해 몸과 마음을 활성화하는 것이 좋습니다. 예를 들어, 작업에 집중한 후에는 짧은 산책을 하거나 스트레칭을 하여 몸과 마음을 재충전하는 것이 좋습니다. 또한, 운동은 우리의 두뇌를 활성화시키는 데 도움이 되므로, 꾸준히 운동을 하는 것이 좋습니다. 이렇게 하면 집중력을 높이고, 일의 효율성을 높일 수 있습니다.

집중 시간 확보: 최적의 작업 환경 만들기

효율적인 작업을 위해서는 최적의 작업 환경을 조성하는 것이 중요합니다. 다음은 집중 시간을 확보하기 위한 몇 가지 방법입니다.

이러한 방법들을 활용하여 집중 시간을 확보하고, 효율적으로 작업을 수행하세요. 이를 통해 더 많은 일을 더 짧은 시간에 처리할 수 있습니다.

작업 일정 설정: 작업을 위한 일정을 명확하게 설정하면 무작위로 작업하는 것을 방지하고, 집중할 시간을 확보할 수 있습니다. 예를 들어, 매일 오전 9시부터 12시까지 3시간 동안은 집중해서 작업을 수행하고, 오후는 회의나 연락 사항 처리 등의 다른 일을 하는 방식으로 일정을 계획할 수 있습니다.

과제 분할: 큰 작업을 작은 단위로 나누어 처리하면 작업이 더욱 쉬워지고 집중력이 더욱 향상됩니다. 예를 들어, 대규모 프로젝트를 여러 개의 작은 과제로 분할하고, 각각을 순차적으로 완성해 나가는 방식으로 진행할 수 있습니다. 이렇게 하면 작업의 부담감을 줄이고, 작은 성취감을 통해 동기를 부여받을 수 있습니다.

자기 선호 시간 활용: 자신이 가장 집중력이 높은 시간대를 활용하여 작업을 수행하면 효율이 향상됩니다. 예를 들어, 아침에 가장 활동적인 '아침형 인간'은 아침 시간에 가장 중요한 작업을, 반면에 밤에 가장 집중력이 높은 '야행성'은 저녁 또는 밤 시간에 복잡하고 어려운 작업을 수행하는 것이 좋습니다.

집중을 방해하는 요소 제거: 작업을 수행하는 동안 집중을 방해하는 요소를 최대한 제거하면 작업에 더욱 집중할 수 있습니다. 예를 들어, 스마트폰 알림이나 이메일 알림 등이 집중을 방해하면 잠시 스마트폰을 멀리 두거나, 알림을 꺼놓는 것이 좋습니다. 또한, 정리되지 않은 작업 환경도 집중력을 떨어트릴 수 있으므로, 작업하기 전에 주변을 정리하는 것도 도움이 됩니다.

휴식과 회복: 집중력을 유지하려면 적절한 휴식이 필요합니다. 일정한 시간 동안 집중하여 일한 후에는 반드시 휴식을 취하여 몸과 마음을 회복시켜야 합니다. 예를 들어, '포모도로 기법'을 활용하면 25분 동안 집중해서 일하고, 5분 동안 휴식을 취하는 패턴으로 작업을 진행할 수 있습니다. 이렇게 일정 시간 규칙적으로 휴식을 취하면, 장시간 작업을 수행하더라도 피로를 효과적으로 관리할 수 있습니다.

제 5 장   스트레스관리와
대처법

이 장에서는 스트레스의 기본 개념, 원인, 유형 및 대처 전략에 대해 상세히 다루며, 스트레스 관리의 중요성을 강조하고, 효과적인 스트레스 관리와 극복 방법을 제시합니다. 스트레스를 건강한 삶의 일부로 받아들이고 적절하게 다루는 방법을 배우는 것이 주요 목표입니다.

1. 마음의 평화 찾기

스트레스의 이해: 스트레스가 미루는 습관에 미치는 영향

스트레스는 우리의 일상 속에서 피할 수 없는 현실로 존재하며, 이는 많은 사람들이 미루는 습관을 형성하게 하는 주요한 요인 중 하나입니다. 이러한 일상적인 스트레스가 우리의 행동에 어떠한 영향을 미치는지를 이해함으로써, 우리는 미루는 습관을 극복하는 데 필요한 방법을 찾을 수 있습니다. 스트레스가 미루는 습관에 미치는 구체적인 영향을 이해하고, 이를 효과적으로 관리하고 해결하는 방법을 알아보는 것이 중요합니다.

스트레스의 정의와 그 특성: 스트레스는 일상 생활에서 발생하는 정서적인 반응으로, 주로 어려운 상황이나 과제에 대한 대비 반응으로 생각됩니다. 예를 들어, 중요한 프로젝트의 데드라인이 다가오거나 복잡한 문제를 해결해야 하는 상황에서 스트레스는 높아집니다. 이러한 스트레스는 미루는 습관을 유발하며, 반대로 미루는 습관은 스트레스를 증폭시킵니다. 그렇기 때문에 스트레스를 올바르게 인식하고 이해하는 것이 중요합니다.

스트레스와 미루는 습관의 상관관계: 스트레스는 미루는 습관을 유발하고, 반대로 미루는 습관은 스트레스를 증가시킬 수 있습니다. 이러한 상호작용은 인지적, 감정적, 생리적인 수준에서 작용할 수 있습니다. 예시로, 과도한 스트레스는 우리의 생각과 감정을 통제하는 데 어려움을 줄 수 있습니다. 이로 인해 중요한 일을 미루게 되고, 이 미루는 습관은 결국 스트레스를 더 증폭시키는 악순환을 만들어냅니다.

스트레스 관리의 중요성과 방법: 스트레스 관리는 미루는 습관을 극복하는 데 필수적입니다. 스트레스를 관리하고 줄이는 것은 미루는 습관을 줄이고 효과적인 작업을 수행하는 데 도움이 됩니다. 예를 들어, 일정한 시간에 꾸준히 명상을 하거나 운동을 하는 등의 스트레스 관리 방법을 통해 스트레스를 감소시킬 수 있습니다. 또한, 스트레스를 감소시키는 것은 미루는 습관을 줄이고, 이를 통해 효율적인 작업을 수행하는 데 도움이 됩니다.

일상 속 휴식: 마음을 다스리는 법

스트레스 관리와 대처법은 여러 가지가 있지만, 특히 규칙적인 호흡 운동을 통해 몸과 마음을 진정시키는 것이 중요합니다. 또한, 스트레스 요인과 그에 대한 대처 방법을 명확히 인식하기 위해 목록을 작성하는 것도 큰 도움이 됩니다. 이를 통해 스트레스 원인을 파악하고, 그에 맞는 대응 전략을 세울 수 있습니다. 휴식 시간은 효과적으로 활용될 수 있어야 하며, 이를 위해 적절한 휴식을 취하고, 가끔은 아무것도 하지 않는 '니케' 시간을 가져보는 것도 좋습니다.

또한, 가족이나 친구와의 관계를 잘 관리하는 것은 정서적 지지를 제공하며, 이는 스트레스 관리에 큰 도움이 됩니다. 마지막으로, 취미나 관심사에 시간을 투자하는 것은 개인의 행복을 증진시키고, 스트레스를 해소하는 데 매우 유용합니다. 이러한 다양한 방법들은 모두 스트레스를 감소시키고 마음을 안정시키는 데 큰 도움이 됩니다.

호흡법: 효과적인 스트레스 관리 방법 중 하나는 규칙적인 호흡 운동입니다. 깊고 천천히 숨을 들이마신 후에 천천히 내쉬는

호흡법을 연습하면 마음이 집중되고 스트레스가 감소합니다. 예를 들어, '4-4-8 호흡법'이 있는데, 이는 4초 동안 숨을 들이마시고, 4초 동안 숨을 참은 후, 8초 동안 천천히 숨을 내쉬는 방법입니다. 이는 일상에서 쉽게 활용할 수 있으며, 특히 스트레스가 느껴질 때나 잠이 오지 않을 때 유용하게 사용할 수 있습니다.

목록 작성: 스트레스 요인을 파악하고 대처하는 방법을 목록으로 작성하는 것은 스트레스 관리에 큰 도움이 됩니다. 일상에서 겪는 스트레스 요인을 목록으로 작성하고, 그에 대한 대응 방안을 함께 생각해보면, 스트레스를 객관적으로 이해하고 효율적으로 대처하는 데 도움이 됩니다. 예를 들어, 업무에 관련된 스트레스를 줄이기 위해 업무 일정을 구체적으로 정리하고, 우선 순위를 설정하는 것이 필요하다는 것을 목록에 추가할 수 있습니다. 또한, 이 목록을 통해 자신이 어떤 일에 스트레스를 느끼는지, 그리고 그것을 어떻게 해결할 수 있는지에 대한 인식을 향상시킬 수 있습니다.

휴식 시간 활용: 바쁜 일상에서도 휴식을 취할 수 있는 시간을 확보하는 것은 매우 중요합니다. 짧은 산책이나 명상과 같은 간단한 활동을 통해 마음을 정화하고 스트레스를 해소할 수 있습니다. 예를 들어, 점심시간이나 퇴근 후에 짧은 시간 동안 걷는 것을 일정에 포함시키면, 일과 중에도 휴식을 취하는 시간을 마련할 수 있습니다. 이는 단순히 신체적 휴식뿐만 아니라, 마음의 휴식도 함께 가져올 수 있어 스트레스 해소에 크게 도움이 됩니다.

관계 관리: 가족이나 친구와의 소통은 스트레스를 해소하는 데 큰 도움이 됩니다. 서로의 마음을 공유하고 이해하는 것은 스트레스를

줄이고, 서로에게 긍정적인 에너지를 주는 데 효과적입니다. 예를 들어, 주말이나 퇴근 후에 친구와 함께 식사를 하거나, 가족과 함께 시간을 보내며 대화를 나누는 시간을 가지는 것이 좋습니다. 이러한 활동들은 스트레스 해소뿐만 아니라, 인간 관계를 더욱 풍요롭게 만들어 주며, 사회적 지지를 느끼는데도 큰 도움이 됩니다.

취미와 관심사: 취미나 관심사에 시간을 투자하여 마음을 다스리는 것은 스트레스를 감소시키는 데 큰 도움이 됩니다. 자신을 위한 시간을 가지고 흥미로운 활동을 즐기는 것은 마음의 안정을 이루고, 스트레스를 해소하는 데 효과적입니다. 예를 들어, 음악, 미술, 요리, 독서, 스포츠 등 자신이 좋아하는 취미 활동을 찾아 시간을 보내는 것이 좋습니다. 이를 통해 자신만의 시간을 가짐으로써 마음을 안정시키고, 스트레스로부터 벗어나는 시간을 확보할 수 있습니다.

2. 마음의 정원 가꾸기

명상과 호흡법: 마음의 안정을 찾는 효과적인 기법

명상과 호흡법은 무척 효과적인 수단으로, 복잡하고 혼란스러운 일상 속에서 마음의 안정을 찾는데 큰 도움이 됩니다. 그들은 단순한 기술이지만, 우리의 일상 생활에 쉽게 통합시킬 수 있는 강력한 도구입니다. 이들은 스트레스를 효과적으로 관리하는 데 필요한 도구이며, 마음을 집중시키고, 우리의 생각을 명확하게 하는 데 큰 도움을 줍니다. 더불어, 이러한 기술들은 우리의 정서적 안정을 유지하는 데 중요한 역할을 합니다. 이제 명상과 호흡법을 통해 마음의 평화를 찾는 방법에 대해 좀 더 구체적으로 알아보겠습니다.

일상 명상: 매일 조용한 장소에서 명상을 실천하는 것이 권장됩니다. 이는 마음을 집중시키고, 스트레스를 줄여주는 효과적인 방법입니다. 일상 생활에서 명상을 실천하면 스트레스와 걱정으로부터 벗어나 마음의 평화를 느낄 수 있습니다. 예를 들어, 아침에 일어나서 하루를 시작하기 전이나 저녁에 잠자리에 들기 전에 명상 시간을 가지는 것이 좋습니다. 이 시간에는 자신의 마음과 몸을 느끼며, 호흡에 집중하고, 마음의 소음을 줄여 나가는 연습을 합니다.

호흡법 연습: 호흡은 우리 생활에서 가장 기본적이면서도 중요한 것 중 하나입니다. 규칙적인 호흡 운동은 마음을 집중시키고 긴장을 풀어주는 데 효과적입니다. 깊게 숨을 들이마시며 몸과 마음을 완전히 느껴보는 것이 중요합니다. 이를 통해 현재 순간에 집중하게 되고, 이것이 마음의 평화를 찾는데 큰 도움이 됩니다. 예를 들어, '5-5-5 호흡법'을 실천해보세요. 이는 5초 동안 숨을 들이마시고, 5초 동안 숨을 참은 후, 5초 동안 천천히 숨을 내쉬는 방법입니다. 이렇게 호흡에 집중하며 숨을 조절하는 연습을 하면 마음이 편안해지고, 스트레스가 줄어듭니다.

마음을 다스리는 연습: 명상과 호흡법을 통해 마음을 다스리는 연습을 하면, 감정이 불안해질 때나 스트레스 상황에 처했을 때 마음을 집중시키고 안정을 찾는 데 도움이 됩니다. 예를 들어, 일이 바쁘거나 스트레스가 많을 때, 잠시 멈추고 호흡에 집중하며 몸과 마음의 상태를 느껴보세요. 이렇게 마음을 다스리는 시간을 가지면, 감정의 파도를 평온하게 타고, 더욱 안정된 마음을 유지할 수 있습니다. 또한, 이런 연습을 통해 스트레스 상황에 빠졌을 때, 자신의 감정을 인식하고 이를 조절하는 능력을 키울 수 있습니다.

긍정적 사고: 스트레스와 부정적 감정 극복하기

긍정적인 사고는 스트레스와 부정적인 감정을 극복하는 데 큰 도움이 됩니다. 이것은 우리의 마음과 정신 건강에 중요한 요소이며, 우리가 일상 생활에서 직면하는 어려움들을 이겨내는 데 큰 힘이 될 수 있습니다. 여기에는 몇 가지 방법이 있으며, 이 방법들은 우리가 명상과 호흡법을 실천하고 긍정적인 사고를 유지함으로써 마음의 안정을 찾고 스트레스와 부정적인 감정을 극복할 수 있도록 도와줍니다. 마음의 정원을 가꾸고 긍정적인 태도를 유지하는 것은 마음을 건강하게 유지하는 데 중요한 요소입니다.

긍정적인 태도 유지: 어떤 상황에서도 항상 긍정적인 태도를 유지하는 것이 중요합니다. 문제를 해결하는 데 도움이 될 수 있는 긍정적인 면을 찾는 것이 필요하며, 이는 우리의 생각과 행동에 긍정적인 영향을 미칩니다. 예를 들어, 일이 잘 안 풀릴 때도 '나는 해낼 수 있다'라는 생각을 갖는 것이 중요합니다. 이렇게 어떤 상황에서도 긍정적인 방향으로 생각하려는 노력은 자신감을 더하고 결국 성공으로 이어질 수 있습니다.

자기 대화: 부정적인 자기 대화를 긍정적인 것으로 바꾸는 것은 우리의 사고 방식을 바꾸는 데 큰 도움이 됩니다. 자신에게 긍정적인 말을 해주고 자신을 격려하면서 자신감을 키워나가는 것이 중요합니다. 예를 들어, '나는 이 일을 잘 할 수 있을 것이다'라고 자신에게 말하면서 자신의 능력을 믿는 것이 필요합니다. 이렇게 긍정적인 자기 대화를 통해 우리는 자신감을 더하고 긍정적인 에너지를 얻을 수 있습니다.

감사의 태도: 감사의 태도를 가지고 일상 속에서 작은 기쁨을 찾아보는 것은 행복을 느끼는 데 큰 도움이 됩니다. 감사의 마음을 가지고 있는 것이 스트레스를 줄이는 데 큰 도움이 됩니다. 예를 들어, 매일 아침 일어나서 그날 할 일에 감사하는 마음을 가지고 시작하면 하루를 긍정적으로 시작할 수 있습니다. 그리고 일상의 작은 일에도 감사의 마음을 가지면서 살아가면, 스트레스를 줄이고 행복을 느끼는 데 큰 도움이 될 것입니다.

목표 설정: 명확한 목표를 설정하고 그에 대한 긍정적인 마음가짐을 유지하는 것은 우리가 우리의 꿈을 실현하는 데 도움이 됩니다. 목표를 향해 나아가는 과정에서 긍정적인 에너지를 얻을 수 있으며, 이는 우리가 일상생활에서 직면하는 어려움들을 이겨내는 데 큰 힘이 될 수 있습니다. 예를 들어, 단기 목표와 장기 목표를 설정하고 그 목표를 향해 나아가는 과정에서 '나는 할 수 있다'는 긍정적인 마음가짐을 가지는 것이 중요합니다. 이렇게 목표를 설정하고 그것을 이루기 위해 노력하는 과정은 우리에게 긍정적인 에너지를 주고, 이는 스트레스를 줄이고 행복을 느끼는 데 큰 도움이 됩니다.

3. 몸과 마음의 균형

운동의 중요성: 신체적, 정신적 활동에 미치는 긍정적인 영향

우리의 몸과 마음의 건강을 유지하고 향상시키는 데에는 다양한 요소들이 있지만, 그 중에서도 운동은 특히 중요한 역할을 합니다. 운동은 매우 다양한 형태로 이루어질 수 있으며, 그 효과는 운동의 종류와 강도에 따라 달라집니다. 여기에는 운동이 우리의 건강에 미치는 주요한 긍정적인 효과들을 소개하겠습니다.

신체적 건강의 향상: 운동은 우리의 신체적 건강을 유지하고 향상시키는 데 매우 중요한 역할을 합니다. 정기적인 근력 운동은 근육의 강도를 증가시키고, 유연성 운동은 우리의 관절을 유연하게 유지하는 데 도움이 됩니다. 이러한 운동은 전반적인 신체적 기능을 향상시키며, 건강한 체중을 유지하고 질병의 위험을 줄일 수 있습니다.

스트레스 해소와 감정 조절: 운동은 우리의 심리적 건강에도 큰 도움이 됩니다. 운동을 통해 스트레스 호르몬인 코티솔의 분비가 감소하고, 긍정적인 감정을 증가시키는 엔도르핀이 증가합니다. 이는 우리의 감정 상태를 안정화시키고, 스트레스를 해소하는 데 큰 도움이 됩니다.

기분 개선과 우울증 예방: 뿐만 아니라, 운동은 우리의 기분을 개선하고 우울증을 예방하는 데에도 큰 도움이 됩니다. 운동을 할 때 우리의 뇌는 기분을 좋게 만드는 세로토닌과 엔도르핀 같은 호르몬을 분비합니다. 이로 인해 운동 후에는 우리가 기분이 좋아지고 우울감이 감소하는 것을 느낄 수 있습니다.

수면의 질 향상: 마지막으로, 정기적인 운동은 우리의 수면의 질을 향상시키는 데에도 중요한 역할을 합니다. 운동을 통해 몸이 피로를 푸는 동안, 우리의 수면의 깊이와 질이 향상됩니다. 이로써 우리는 더 편안하고 쉽게 잠들 수 있게 되며, 잠에서 깨어난 후에도 더 활력있게 느낄 수 있습니다.

건강한 생활 습관: 몸과 마음의 조화

건강한 생활 습관을 가지는 것은 우리의 신체적, 정신적 건강에 중요한 역할을 합니다. 이는 우리의 몸과 마음의 조화를 이루는데 큰 도움이 되며, 일상생활의 질을 향상시키는 데에도 기여합니다. 건강한 생활 습관을 유지하는 방법은 다양하며, 아래에서 몇 가지 방법을 제시해 드리겠습니다.

이러한 방법들을 통해 운동과 건강한 생활 습관을 유지함으로써, 몸과 마음의 균형을 유지하고 건강한 삶을 살아갈 수 있습니다. 몸과 마음을 모두 건강하게 유지하는 것은 우리가 행복하고 만족스러운 삶을 살아가는 데 필수적인 요소입니다.

규칙적인 운동: 매일 같은 시간에 운동을 실천하는 것이 좋습니다. 이는 단지 몸매를 관리하는 것뿐만 아니라, 우리의 신체적 건강을 유지하는 데 중요한 역할을 합니다. 이를 통해 에너지를 충전하고, 스트레스를 해소하는 동시에 건강한 생활 습관을 형성할 수 있습니다.

균형 잡힌 식습관: 건강한 식습관은 우리의 건강에 큰 영향을 미칩니다. 채소, 단백질, 곡물 등을 균형 있게 섭취하면 우리 몸에 필요한 영양소를 골고루 섭취할 수 있습니다. 이러한 균형 잡힌 식습관은 우리의 몸과 마음에 에너지를 주며, 우리의 건강을 향상시키는 데 중요한 역할을 합니다.

충분한 휴식: 충분한 휴식은 우리의 몸과 마음에게 필수적입니다. 마음과 몸을 쉬게 해주는 휴식은 우리의 건강을 유지하는 데 큰 도움이 됩니다. 충분한 수면은 우리의 몸과 마음이 재충전되는 시간이며, 이는 우리가 건강하게 일상을 보내는 데 중요한 역할을 합니다.

스트레스 관리: 스트레스는 우리의 몸과 마음에 부정적인 영향을 미칩니다. 그러므로 스트레스를 효과적으로 관리하는 것이 중요합니다. 명상, 깊은 호흡, 산책 등 다양한 방법을 통해 스트레스를 해소하고 건강한 생활 습관을 유지해 봅시다.

4. 스트레스 해소 기술

창의적 활동: 스트레스를 해소하고 마음의 평정을 회복하는 취미와 활동

스트레스는 우리 생활의 일부이지만 그것을 해소하고 마음의 평정을 회복하는 데에는 다양한 창의적인 활동이 큰 도움이 됩니다. 창의적 활동은 개인의 표현력을 증진시키고, 개성을 발휘하며, 스트레스를 해소하는 효과가 있습니다. 아래는 이러한 창의적 활동 중 몇 가지를 추천하고 있습니다.

음악: 음악을 듣거나 악기를 연주하는 것은 스트레스를 해소하고 감정을 안정시키는 데 효과적입니다. 음악은 감정을 표현하고 이해하는 독특한 방법으로, 마음의 평화를 찾는 데 큰 도움이 됩니다.

독서: 책을 읽는 것은 마음을 편안하게 하고 스트레스를 해소하는 데 도움이 됩니다. 다양한 장르의 책을 읽으면서 새로운 세계를 탐험하고, 생각을 확장하며, 자신의 시각을 넓히는 것은 매우 가치 있는 활동입니다. 특히 휴대용 전자기기를 이용하여 언제든지 읽을 수 있는 것이 좋습니다.

글쓰기: 자신의 생각이나 감정을 표현하는 데 글쓰기는 매우 효과적입니다. 이는 창의적인 활동이며, 스트레스를 해소하는 데 도움이 될 수 있습니다. 개인적인 일기, 시나 소설을 쓰거나, 블로그를 운영하는 것 등 다양한 형태로 진행할 수 있습니다.

미술 및 공예: 그림 그리기, 조각, 목공예 등의 다양한 공예 활동은 마음을 집중시키고 창의성을 발휘할 수 있는 좋은 방법입니다. 이러한 활동은 세세한 부분에 신경을 쓰게 하여 마음을 가라앉히는 데 도움이 됩니다.

정원 가꾸기: 정원 가꾸기는 자연 속에서 즐기는 활동으로, 식물을 키우고 가꾸는 과정에서 마음을 안정시키고 스트레스를 해소할 수 있습니다. 또한 식물의 성장을 지켜보며 얻는 즐거움은 물론, 신선한 공기와 아름다운 풍경을 즐길 수 있는 기회를 제공합니다.

등산 또는 캠핑: 자연에서의 활동은 우리에게 신선한 공기와 평온함을 제공합니다. 등산이나 캠핑은 스트레스 해소와 동시에 우리의 몸과 마음을 치유하는 시간이 될 수 있습니다.

댄스: 음악에 맞춰 움직이는 것은 몸과 마음 모두에게 좋습니다. 댄스는 우리의 감정을 표현하는 데 도움이 되며, 스트레스를 해소하고, 기분을 좋게 만드는 효과가 있습니다.

요가와 명상: 요가와 명상은 마음과 몸의 균형을 맞추고, 스트레스를 풀어주는 데 효과적입니다. 깊은 호흡과 몸의 움직임을 통해 현재 순간에 집중하게 되며, 이는 마음의 평화와 안정을 찾는 데 도움이 됩니다.

요리: 요리는 창의력을 표현하고, 즐거움을 느끼는 활동입니다. 새로운 레시피를 시도해보거나, 자신만의 요리를 만들어보는 것은 스트레스를 해소하고, 성취감을 느낄 수 있게 해줍니다.

사회적 지원: 주변 사람들과의 소통과 지지

스트레스 해소에 있어 중요한 방법 중 하나는 사회적 지원을 받는 것입니다. 주변 사람들과의 교류 및 그들의 지지는 안정감을 얻고 긍정적인 생각과 감정을 유지하는 데 큰 역할을 합니다.

이처럼 창의적 활동과 사회적 지원을 통해 스트레스를 해소하고, 마음의 평화를 찾을 수 있습니다. 특히, 어려운 시기에는 자신을 돌보는 것과 주변 사람들과의 연결을 유지하는 것이 중요합니다. 이를 통해, 스트레스에 대처할 때 강하고 활력 있는 자신을 발견할 수 있습니다.

가족과의 시간: 가족과 함께 보내는 시간은 서로 간에 심리적 지지를 주고받을 수 있는 매우 소중한 기회입니다. 가족 구성원들과 함께하는 시간 동안 대화를 나누고 서로를 위로하며, 서로의 이야기를 들어주는 것은 스트레스를 줄이고 마음의 평화를 찾는 데 매우 중요합니다. 가족 간의 이해와 사랑은 개인의 정서적 안정을 위한 강력한 지원이 될 수 있습니다.

친구와의 만남: 친구들과 함께 보내는 시간은 스트레스를 해소하고 긍정적인 에너지를 받는 데 매우 도움이 됩니다. 친구들과의 대화와 교류는 마음을 편안하게 해주며, 그들과의 유쾌한 시간은 스트레스를 잊게 해주고 새로운 에너지를 주는 역할을 합니다. 친구들과 함께하는 시간은 즐거움의 순간들을 만들며, 그들과의 연결은 우리의 삶을 더 풍요롭게 만듭니다.

사회적 활동: 사회적 활동에 참여하는 것 또한 스트레스를 해소하는 데 매우 효과적인 방법입니다. 지역 사회나 자원봉사 단체에 참여하여 다른 사람들에게 도움을 주는 것은 자신의 자아감정을 느끼게 해주고, 그 과정에서 스트레스를 잊을 수 있습니다. 이러한 활동은 자기 자신을 사회에 기여하는 가치있는 구성원으로 느끼게 해주며, 그것은 우리의 삶에 목적과 의미를 부여합니다.

동료와의 협력: 근무장소나 학교에서 동료나 동기들과의 소통은 스트레스 해소와 긍정적 에너지를 얻는 데 중요한 역할을 합니다. 같이 일하거나 공부하는 동료들과 아이디어를 나누거나, 서로를 도와주는 것은 팀워크를 강화하고, 스트레스를 줄이며, 업무나 학업의 성과를 높일 수 있습니다.

멘토 및 지도자와의 상담: 일상생활이나 전문적인 분야에서 멘토나 지도자와의 상담은 스트레스를 관리하고, 문제를 해결하는 데 큰 도움이 됩니다. 그들의 경험과 지식은 우리가 겪는 문제에 대해 새로운 시각을 제공하며, 그들의 조언은 우리가 스스로 해결책을 찾는데 도움이 될 수 있습니다.

전문가와의 상담: 때로는 스트레스를 관리하거나 개인적인 문제를 해결하기 위해 전문가의 도움이 필요할 수 있습니다. 심리 상담사, 생활지도사, 경력상담사 등 전문가들과 상담을 통해 스트레스를 관리하고 문제를 해결하는 전략을 배울 수 있습니다. 전문가의 조언과 지원은 우리가 현실을 객관적으로 이해하고, 건강한 대처 방법을 찾는데 도움이 될 수 있습니다.

온라인 커뮤니티 참여: 온라인 커뮤니티는 사람들이 다양한 주제에 대해 이야기하고 서로를 지지하는 공간입니다. 인터넷 기반의 그룹이나 포럼에서 같은 관심사나 경험을 가진 사람들과 공감하고, 조언을 얻는 것은 스트레스를 줄이고 개인적인 문제를 해결하는 데 도움이 될 수 있습니다. 이러한 커뮤니티는 멀리 떨어진 사람들과도 연결되어, 넓은 범위의 지지와 다양한 시각을 제공하며, 스트레스 관리에 유용합니다.

제 6 장

진정한 성공은 꾸준함의 땅에서 결실한다

진정한 성공은 꾸준한 노력과 인내로 이루어지며, 끊임없는 학습과 발전이 필요하다. 성공을 위한 꾸준한 행동의 중요성과 이를 지속하는 다양한 전략과 팁, 그리고 자기계발과 성장을 위한 노력의 중요성이 강조된다.

1. 행동하는 사람들의 습관 사례

성공한 사람들은 일관된 행동과 지속적인 노력을 통해 그들의 목표를 이루는 힘을 보여줍니다. 그들의 삶과 경험을 통해 그들이 어떻게 탁월한 결과를 달성하는지 학습하며, 우리는 그들의 이야기에서 우리 자신의 삶에 적용할 수 있는 중요한 교훈을 얻을 수 있습니다. 그들의 성공 스토리는 우리에게 영감을 주며, 우리가 우리 자신의 목표를 추구하는 데 도움이 될 수 있는 통찰력을 제공합니다.

일상 속의 영웅들: 행동의 힘을 보여준 사람들

우리는 종종 일상 속에서 특별한 사람들을 발견합니다. 그들은 행동으로 영웅이 되고, 우리에게 영감을 주며, 가르침을 전합니다. 이들의 이야기는 보통 우리 주변에서 일어나는 작은 일들 중 하나에서 시작됩니다. 예를 들어, 우리는 조용하게 자신의 꿈을 쫓는 이웃이나, 어려운 상황에서 희망을 잃지 않고 힘든 일을 이겨내는 친구를 볼 수 있습니다. 그들은 자신의 목표를 향해 끊임없이 나아가는 모습으로 우리에게 무한한 용기와 희망을 줍니다.

마이클 조던: 농구계의 전설적인 선수로 알려진 마이클 조던은 그의 뛰어난 실력을 키워낸 것은 꾸준한 훈련과 불굴의 열정에 기인합니다. 그의 인생 이야기는 노력과 희생이 어떻게 성공으로 이끌어지는 길인지를 적나라하게 보여주며, 그의 성취는 무엇보다도 그의 노력과 열정을 보여줍니다.

마리 쿠리: 방사선을 발견한 과학자 마리 쿠리는 연구에 끝없이 몰두하고 끈질긴 노력으로 혁신적인 발견을 이루어 냈습니다. 그녀의 이야기는 지식과 열정이 과학적 발전을 이끄는 중추적 역할을 보여주는 동시에, 그녀의 끈질긴 노력과 연구에 대한 열정이 어떻게 혁신적인 발견을 이끌어냈는지 보여줍니다.

엘런 머스크: 전기 자동차 회사 테슬라와 우주 비행 기업 스페이스X를 창업한 기업가 엘런 머스크는 대담한 비전과 실행력으로 혁신적인 기술을 세상에 선보였습니다. 그의 이야기는 자신의 꿈을 실현하기 위해 끊임없이 도전하는 모습을 보여줍니다.

마더 테레사: 가난한 이들을 돕는 데 전생을 바친 자선가 마더 테레사는 자비와 선행으로 수많은 사람들에게 희망을 전했습니다. 그녀의 이야기는 작은 행동이 큰 변화를 일으킬 수 있다는 것을 보여줍니다. 그녀의 노력은 가장 취약한 사람들에게 공감과 사랑을 전달하는 힘을 보여줍니다.

스티브 잡스: 애플의 공동 창업자로서 혁신적인 제품과 디자인을 선보인 비전있는 기업가 스티브 잡스입니다. 그의 이야기는 열정과 창의력이 혁신을 이끌어 내는 힘을 보여줍니다. 그는 우리에게 기술을 통해 세상을 변화시킬 수 있다는 메시지를 전합니다.

마크 저커버그: 세계적인 SNS 페이스북의 창업자 마크 저커버그는 전 세계적으로 사람들을 연결하는 플랫폼을 만들었습니다. 그의 이야기는 미래 비전을 실현하기 위한 열정과 실행력을 보여줍니다. 그는 우리에게 대담한 아이디어와 그것을 실현하는 데 필요한 용기에 대해 생각하게 합니다.

니콜라 테슬라: 발명가에게 돌아가서, 니콜라 테슬라는 전기와 자기학에 어마어마한 기여를 하였습니다. 그의 혁신적인 아이디어와 실험 정신은 우리가 이해하는 세계를 완전히 변화시켰습니다. 그의 이야기는 우리에게 과학적 호기심이 어떻게 기술 혁신을 이끌어 낼 수 있는지를 보여줍니다.

오프라 윈프리: 또한, 토크쇼 호스트로 잘 알려진 오프라 윈프리는 그녀의 방송을 통해 여성의 이야기와 다양한 주제를 탐구하며 사회적 변화를 이끌어 냈습니다. 그녀의 이야기는 우리에게 자신의 목소리를 통해 사회적 영향력을 얻는 방법을 보여줍니다.

넬슨 만델라: 마지막으로, 인권 운동가 넬슨 만델라는 흑인 인종차별을 극복하고 남아프리카의 평등을 위해 헌신한 인물입니다. 그의 이야기는 우리에게 희생과 투쟁이 어떻게 인류의 이익을 위해 헌신하는 열정으로 이어질 수 있는지를 보여줍니다.

성공의 발자취: 작은 행동의 누적 효과

성공적인 사람들의 이야기를 듣는 것은 우리에게 큰 영감을 줍니다. 그러나 이들의 성공은 대개 큰 변화나 순간적인 결정이 아닌, 작은 일상적인 행동의 누적 결과입니다. 예를 들어, 성공한 기업가는 매일 일어나서 자신의 목표를 위해 노력하고, 꾸준히 발전하는 습관을 가지고 있습니다. 이러한 작은 행동들이 시간이 흐름에 따라 성공으로 이어지는 것을 볼 때, 우리는 자신의 목표를 달성하기 위해 작은 노력이 얼마나 중요한지를 깨닫게 됩니다.

하버드 대학의 연구원들은 성공적인 사람들이 가진 공통적인 습관을 연구하였습니다. 그들의 연구 결과에 따르면, 매일 반복되는 작은 행동들이 성공을 이끄는 핵심이라고 합니다. 이러한 작은 행동들은 성공의 발자취로 남아 있으며, 우리는 이를 통해 자신의 삶을 변화시키고 성공으로 나아갈 수 있습니다. 이러한 영웅적인 사람들의 이야기와 작은 행동들의 누적 효과는 우리에게 새로운 가능성을 보여줍니다. 그들의 이야기를 통해 우리는 우리 자신의 행동을 반성하고, 더 나은 미래를 향해 나아갈 수 있는 방법을 찾을 수 있습니다.

워렌 버핏: 워렌 버핏은 금융계의 전설적인 투자자입니다. 그는 매일 조금씩이라도 공부하고 노력하며 금융 지식을 쌓아 왔습니다. 그의 이야기는 꾸준한 노력이 뛰어난 투자 성과를 이끌어 내는 데 얼마나 중요한지를 보여줍니다. 그의 노력과 투자 지식은 그를 세계적인 투자자로 만들었으며, 그의 성공은 그가 지녔던 투자에 대한 깊은 이해와 끊임없는 노력의 결과입니다.

조지 클루니: 홀리우드 배우인 조지 클루니는 뛰어난 연기력과 함께 지적 호기심을 가지고 자신의 분야에서 꾸준한 성과를 거두었습니다. 그의 이야기는 자신의 열정을 추구하고, 그 목표를 향해 꾸준히 노력하는 것이 얼마나 중요한지를 말해주는 강력한 사례입니다. 그의 성공은 그의 열정과 헌신, 그리고 자신의 재능을 계속해서 성장시키는 데 전념한 결과로, 이것은 그의 놀라운 연기 캐리어를 통해 명확하게 보여지고 있습니다.

마이클 플프스: 프로 축구 선수인 마이클 플프스는 꾸준한 훈련과 희생을 통해 세계적인 스포츠 스타의 위치를 확보하게 되었습니다. 그의 이야기는 꾸준한 노력이 우수한 실력과 눈부신 성과를 이루는 데 얼마나 중요한지를 보여주는 또 다른 예시입니다. 그의 놀라운 스포츠 경력은 그의 열정, 헌신, 그리고 힘든 훈련에 대한 그의 인내력을 보여주며, 이것은 그가 거둔 수많은 스포츠 상과 그의 뛰어난 성과를 통해 명확하게 드러나고 있습니다.

제인 굿올: 그녀는 탁월한 코미디언으로서 그녀의 뛰어난 유머 감각과 창의성을 통해 세계적인 명성을 얻게 되었습니다. 그녀의 이야기는 그녀가 자신의 열정을 끊임없이 추구하고, 그녀의 꿈을 이루기 위해 끊임없이 노력하였음을 보여줍니다. 이는 우리에게 꿈을 이루기 위해 얼마나 열정과 꾸준한 노력이 중요한지를 깨닫게 해주는 소중한 교훈입니다.

엘론 머스크: 그는 혁신과 리더십을 바탕으로 세계적인 기업가가 되었습니다. 그의 혁신적인 아이디어와 대담한 결정을 통해 그는 우주 여행과 전기 자동차 산업의 선두주자가 되었습니다. 그의 이야기는 그가 자신의 비전을 실현하기 위해 끊임없이 도전하고 노력하였음을 보여줍니다. 이는 우리에게 자신의 목표를 달성하기 위해 얼마나 끊임없는 도전과 노력이 중요한지를 알려주는 이야기입니다.

제프 베조스: 그는 아마존의 창업자로서, 그의 고집스런 결단력과 끊임없는 노력을 통해 세계 최대의 온라인 쇼핑 플랫폼을 창출하였습니다. 그의 이야기는 그가 자신의 목표를 향해 단호한

결심으로 나아가며, 어려움을 극복하였음을 보여줍니다. 이는 우리에게 자신의 목표를 달성하기 위해 얼마나 단호한 결심과 끊임없는 노력이 중요한지를 깨닫게 해주는 이야기입니다.

엘런 드제너러스: 환경 운동가로서, 엘런 드제너러스는 지구를 보호하고 지속 가능한 미래를 위해 노력하고 있습니다. 그녀의 활동은 끊임없이 그녀의 가치와 신념을 위해 헌신하는 것의 중요성을 강조하고 있습니다. 그녀의 이야기는 모두에게 개인이 지구를 보호하고 지속 가능한 미래를 추구하는 데 얼마나 중요한 역할을 할 수 있는지를 보여줍니다.

안젤리나 졸리: 배우로서의 성공 외에도 안젤리나 졸리는 세계적인 인권 운동가로서 활동하며 세계를 더 나은 곳으로 만들기 위해 노력하고 있습니다. 그녀의 이야기는 자신의 영향력을 활용하여 세상을 변화시키는 데 얼마나 중요한지를 보여줍니다. 그녀의 행동은 모두에게 영향력을 가진 사람이 그 영향력을 이용해 세상을 바꿀 수 있는 엄청난 능력을 보여줍니다.

버락 오바마: 전 대통령으로서, 버락 오바마는 그의 열정과 리더십으로 미국과 세계를 변화시키는 데 기여했습니다. 그의 이야기는 꿈과 열망을 실현하기 위해 어떤 희생과 노력이 필요한지를 보여줍니다. 그의 경험은 모두에게 꿈을 실현하려면 끊임없는 열정과 노력이 필요하다는 중요한 교훈을 제공합니다.

마야 앤젤루: 시인이자 작가로서, 마야 앤젤루는 자신의 경험을 통해 다양한 이슈를 탐구하고 사회적 변화를 이끌어 내고 있습니다. 그녀의 이야기는 개인의 힘을 믿고 꿈을 이루는 데 얼마나

중요한지를 보여줍니다. 그녀의 장대한 작품은 모두에게 개인의 경험과 통찰력이 사회적 변화를 이끌어 낼 수 있는 강력한 힘을 보여줍니다.

2. 성공하는 사람들의 행동습관 연구

성공하는 사람들의 비결은 일관된 습관과 명확한 전략에 의존하는 것이라는 것입니다. 이들은 철저한 목표 설정과 계획을 세우고, 우수한 자기관리와 시간 관리 능력을 통해 이를 실행합니다. 또한, 포용적인 사고와 긍정적인 태도를 유지함으로써 어려움을 극복하고 기회를 활용합니다. 자기동기부여와 흥미 유발을 통해 자신의 열정과 헌신을 유지하며, 타인과의 협력과 팀워크를 통해 공동의 목표를 달성합니다.

성공 사례 연구는 이러한 특성과 전략이 성공에 어떻게 기여하는지 보여줍니다. 예를 들어, 엘론 머스크는 창의성과 결단력으로 혁신적인 기업을 성공적으로 이끌었습니다. 오프라 윈프리는 그녀의 인간성과 공감 능력으로 전 세계 수백만의 관객을 사로잡았습니다. 넬슨 만델라는 용기와 희망을 가지고, 어려운 상황 속에서도 국가와 사람들을 위한 긍정적인 변화를 이끌어냈습니다. 이들의 성공은 그들의 개인적인 특성과 전략이 어떻게 중요한 역할을 하는지를 잘 보여줍니다.

성공인의 비밀: 그들의 습관과 전략에 대한 깊은 이해

성공하는 사람들의 성공 비결은 단순히 운에 의존하는 것이 아니라, 그들의 일관된 습관과 명확한 전략에 크게 의존하고 있습니다. 이들은 명확하고 구체적인 목표를 설정하고, 그 목표를 달성하기 위한 전략적 계획을 수립하며, 꾸준한 노력을 통해 그 목표를 달성합니다.

철저한 목표 설정과 계획: 성공하는 사람들은 명확하고 구체적인 목표를 설정하고 그 목표를 달성하기 위한 상세한 계획을 세웁니다. 그들은 자신이 추구하는 방향에 대해 명확하게 이해하며, 그 목표 달성을 위해 필요한 일련의 단계를 체계적으로 계획하고 실행합니다. 이들은 모든 단계를 철저히 검토하고 계획하여, 그 목표에 대한 가장 효과적인 접근 방식을 선택합니다.

우수한 자기관리와 시간 관리 능력: 성공한 사람들은 자신의 시간을 매우 효율적으로 활용하고, 자기관리를 통해 스트레스를 효과적으로 관리합니다. 그들은 자신의 일과 생활의 우선순위를 세우고 중요한 일에 집중하여 시간을 최대한 효율적으로 활용하며, 필요없는 활동을 제거하여 최선의 결과를 얻습니다.

포용적인 사고와 긍정적인 태도: 성공하는 사람들은 문제에 대한 긍정적인 사고를 가지고 있습니다. 그들은 실패를 배움의 기회로 보고, 새로운 도전에 대해 열린 마음을 가지고 있습니다. 이러한 긍정적인 태도와 포용적인 사고는 그들이 어려움을 극복하고 성공에 이르는 데 결정적인 역할을 합니다.

자기동기부여와 흥미 유발: 성공하는 사람들은 자신을 계속해서 동기부여하고, 자신에게 흥미를 유발하는 방법을 찾습니다. 그들은 자신의 목표와 비전에 대한 열정을 유지하며, 어려움을 극복하기 위해 끊임없이 노력하며, 이를 위해 자신들에게 필요한 동기부여를 찾아냅니다.

타인과의 협력과 팀워크: 성공하는 사람들은 타인과의 협력을 통해 더 큰 성과를 이룹니다. 그들은 다른 사람들과의 소통을 통해 새로운 아이디어를 얻고, 팀으로 일함으로써 개인의 한계를 초월하여 목표를 달성합니다. 이들은 다양한 경험과 지식을 가진 다른 사람들과 협력함으로써, 더 큰 목표를 달성하는 데 필요한 다양한 능력을 갖추게 됩니다.

연구 사례: 실질적 예시와 교훈

성공 사례 연구는 실제로 성공을 거둔 사람들의 이야기를 깊이 있게 분석하고 조사함으로써, 그들이 통과한 경험과 과정을 통해 우리가 성공으로 이어질 수 있는 중요한 교훈을 얻는데 큰 도움을 줍니다. 아래에 제시된 몇 가지 실질적인 예시와 그들이 우리에게 전달한 교훈들은 성공에 이르는 데 필요한 특성과 전략을 명확하게 보여줍니다. 이들의 이야기를 통해 우리는 자신의 목표를 향해 나아가는 데 필요한 도구와 지혜를 얻을 수 있습니다.

엘론 머스크의 창의성과 결단력: 엘론 머스크는 테슬라와 스페이스X와 같은 혁신적인 기업을 창업하면서 많은 도전과 역경을 극복해 왔습니다. 그의 성공 비결은 창의성과 결단력에 있습니다. 그는 항상 새로운 아이디어를 모색하고, 그것을 실행에 옮기는 결단력을 갖고 있습니다. 그의 이야기는 우리에게 변화를 두려워하지 않고, 창의적인 접근법과 끈기를 갖는 것의 중요성을 보여줍니다.

오프라 윈프리의 인간성과 공감: 오프라 윈프리는 자신의 토크쇼를 통해 많은 사람들에게 영감을 주고, 사회 문제에 대한 인식을 높이는 데 큰 기여를 해왔습니다. 그녀의 성공은 인간성과 공감에 기인합니다. 그녀는 항상 타인을 배려하고 그들의 이야기를 듣는 데 진심을 다하며, 이를 통해 사람들의 마음을 얻었습니다. 그녀의 이야기는 우리에게 인간성과 공감능력이 성공에 큰 역할을 한다는 것을 보여줍니다.

넬슨 만델라의 용기와 희망: 넬슨 만델라는 남아프리카의 인권 운동가로서 많은 어려움과 도전을 극복하며 자신의 목표를 달성했습니다. 그의 성공은 용기와 희망에 있습니다. 그는 항상 희망을 잃지 않고, 끝없는 투쟁을 통해 자유와 정의를 위해 싸웠습니다. 그의 이야기는 우리에게 용기와 희망이 어떻게 불가능한 것을 가능하게 만들 수 있는지를 보여줍니다.

3. 인터뷰: 성공의 비결

성공한 사람들과의 인터뷰는 그들의 경험을 직접 듣고, 그들의 성공 비결을 알아내는 데에 중요한 역할을 합니다. 이들이 겪은 실패와 성공, 그리고 그 과정에서 얻은 깊은 교훈 들을 청취함으로써, 우리는 그들의 성공에 이르는 데 결정적인 역할을 한 요소들에 대해 배울 수 있습니다. 이들과의 대화를 통해 우리는 성공을 이루는 데 필요한 행동, 전략, 그리고 그들이 가지고 있는 독특한 접근 방식에 대한 통찰력을 얻을 수 있습니다. 이렇게 얻은 지식과 정보는 우리 자신의 목표를 향해 나아가는 데에 큰 도움이 될 것입니다.

직접 듣는 극복 이야기

인터뷰 과정에서, 우리는 다양한 사람들의 극복 이야기를 듣게 됩니다. 예를 들어, 한 성공인은 자신의 초기 실패 경험을 공유했습니다. 그는 처음에는 자신의 아이디어를 받아들여주는 사람을 찾지 못해 좌절했으나, 결국 좌절을 극복하고 계속해서 노력함으로써 성공을 거뒀습니다. 이러한 이야기는 우리에게 실패와 좌절이 무엇보다도 성공으로 가는 길에 필요한 것임을 상기시켜 줍니다. 또한, 다른 사례에서는 자신의 극복 이야기를 통해 동료들에게 영감을 주고, 도전에 대한 용기를 준 케이스도 있었습니다. 이러한 이야기들은 우리에게 실패와 어려움을 극복하고 성공으로 나아가는 데 필요한 열정과 결단력을 불어넣어 줍니다.

오프라 윈프리 (Oprah Winfrey): "나의 인생에서 가장 어두운 순간들, 그 어려운 시기들이 나를 가장 강하게 만들었다. 나는 그 어떤 실패와 어려움에도 굴하지 않고, 이를 이길 힘을 찾아내는 데 있어 결코 후회하지 않았다. 이러한 경험들은 나를 더 강한 인간으로 만들었고, 나의 인내력을 높여주었다. 이는 결국 새로운 기회를 찾아내는 데 큰 도움이 되었으며, 나의 성장에 크게 기여하였다."

니콜라 테슬라 (Nikola Tesla): "나는 실패를 통해 성공의 길을 찾아가게 되었다. 나의 실패는 나를 더 강하고 창의적인 과학자로 만들어 주었다. 실패는 나의 가장 큰 선생이었고, 이는 나를 더 나은 과학자로 성장시키는 데 큰 도움이 되었다. 설사 실패한 경험이 있다 해도 그것이 나의 성공을 위한 발판이 되었으며, 그 과정에서 나는 더 많은 것을 배울 수 있었다."

제이콥 콜리어 (J.K. Rowling): "내가 성공을 찾아갈 수 있었던 여정 중 가장 힘들었던 시기는 빈곤과 좌절이 가득했던 때였습니다. 그 시기는 온갖 어려움에 휩싸였지만, 그 어려움들을 극복하고 나의 꿈을 실현하기 위한 노력을 계속해서 했습니다. 그 어려움들은 나의 글쓰기에 깊은 통찰력과 이해력을 부여하는 데 매우 중요한 역할을 하였습니다. 그 경험들은 나의 작품에 대한 깊은 이해를 가능하게 해주었고, 이는 나의 작품을 더욱 풍부하게 만들어 주었습니다."

엘런 머스크 (Elon Musk): "내 인생에서 가장 어려웠던 순간들은 항상 나를 더 강하게 만들었습니다. 그 어려움들을 극복하고 나의 비전을 실현하기 위해 끊임없이 노력했습니다. 이런 도전들은 나에게 끈기와 인내력을 가르쳐 주었고, 나의 목표를 이루는 데 필요한 동기를 부여하였습니다. 이런 경험들은 나를 더 강하게 만들었고, 나의 꿈을 실현하는데 있어서 더욱 열정적으로 임할 수 있게 해주었습니다."

마야 앤젤루 (Maya Angelou): "나는 내가 거치고 왔던 모든 실패와 도전들에 대해 감사하는 마음으로 살아왔다. 그것들은 나를 더 강하게, 더 용기 있게 만드는 역할을 했다. 그것들은 내 앞에 새로운 가능성을 열어주었다. 이러한 경험들은 나의 인식을 확장시키고, 나의 삶과 창작에 깊은 흔적을 남겼다. 내가 겪은 모든 것들, 그것들이 좋은 것이었던 나쁜 것이었던, 모두 나를 오늘의 나로 만들었다. 그리고 나는 그것들을 통해 배운 가치있는 교훈들을 통해, 내 삶의 다음 단계를 준비하고 있다."

생생한 인터뷰 내용

인터뷰를 통해 우리는 다양한 사람들의 생생한 경험을 들을 수 있습니다. 예를 들어, 한 인터뷰에서는 어떤 사람이 자신의 목표를 이루기 위해 어떤 과정을 거쳤는지에 대한 이야기를 듣게 되었습니다. 그는 목표를 세우고, 그것을 이루기 위해 지속적으로 노력하고, 어려움을 극복하는 과정을 통해 성공을 찾았습니다.

또 다른 인터뷰에서는 성공한 사람이 자신의 목표를 이루기 위해 필요한 전략과 방법에 대해 이야기했습니다. 그는 목표를 설정하고, 계획을 세우고, 그 계획을 실행하기 위해 노력했습니다. 이러한 다양한 이야기들은 우리에게 성공을 위한 다양한 접근 방법과 전략을 보여줍니다. 또한, 이러한 이야기들은 우리에게 자신의 목표를 달성하기 위해 필요한 노력과 헌신을 되새기게 합니다.

오프라 윈프리 (Oprah Winfrey): "내 삶은 미루는 습관을 극복하고 즉시 행동에 옮기는 것이 큰 변화를 가져온 것입니다. 이러한 변화는 내게 주어진 모든 기회를 진정으로 가치있게 여기는 데에서 시작되었습니다. 시간을 끌거나 미루는 대신, 내가 받은 모든 기회를 즉시 활용하는 것이 얼마나 중요한지를 깨달았습니다. 이러한 접근 방식은 어려움을 극복하고 성공으로 이끌 수 있었던 주요 요소였습니다. 내가 가장 중요하게 생각하는 것은, 나에게 주어진 이 순간, 지금 바로 행동에 나선 것이 가장 중요하다는 것을 깨달았기 때문입니다."

니콜라 테슬라 (Nikola Tesla): "나의 인생은 미루는 습관을 극복하고 지속적으로 행동하는 것에 대한 지속적인 도전이었습니다. 실패라는 것을 두려워하지 않고, 그저 앞으로 나아가는데 집중함으로써, 내가 원하는 변화를 이룰 수 있었습니다. 이 과정에서 매 순간을 즉시 행동으로 옮기는 것의 중요성을 깨달았습니다. 실패에 대한 두려움보다는 진정한 변화를 만드는데 필요한 행동을 미루지 않는 것이 더 중요하다는 것을 깨달았습니다. 이를 통해 나는 내 자신이 변화를 이끌 수 있는 힘을 가지고 있다는 것을 깨달았습니다."

제이콥 콜리어 (J.K. Rowling): "내 인생에서 가장 큰 도전 중 하나는 미루는 습관을 극복하고 적극적으로 행동에 나서는 것이었습니다. 이것은 쉽지 않은 일이었지만, 그 어려움들은 결국 나를 더욱 강하게 만들었습니다. 이 과정에서 내 창조력이 불어나고, 그 결과 내 꿈을 이루는 데 도움이 되었습니다. 그리고 그 일련의 과정들이 내 삶에 가장 큰 변화를 가져다 주었습니다."

엘런 머스크 (Elon Musk): "나의 경험에 따르면, 미루는 습관을 극복하고 적극적으로 행동하는 것은 보이지 않는 목표에 도전하는 데서 시작되었습니다. 이 과정에서 끊임없는 노력과 투지가 요구되었지만, 그 결과는 나에게 놀라운 성과를 가져다 주었습니다. 나는 어려움을 이겨내고 내가 가진 비전을 실현해낼 수 있었습니다."

마야 앤젤루 (Maya Angelou): "나의 삶에서 미루는 습관을 극복하고 적극적으로 행동에 나서는 것은 내가 원하는 새로운 삶으로 나아가는데 결정적인 역할을 했습니다. 이 과정에서 내면의 용기와 힘을 발견했고, 그러한 어려움을 극복하며 성장하는 과정은 나에게 큰 성취감과 자신감을 주었습니다. 이러한 경험은 나를 더 강하고 희망적인 사람으로 만들어 주었습니다."

4. 성공에 보상하는 방법

보상의 중요성: 성공을 지속하는 힘

성공은 노력과 헌신의 결과로 얻어지지만, 성공을 유지하고 지속하는 것은 더 큰 도전입니다. 이를 위해 보상은 매우 중요한 역할을 합니다. 보상은 성공적인 결과를 경험한 후에 느끼는 긍정적인 감정을 강화시키고, 더 많은 성취를 동기부여합니다.

예를 들어, 목표를 달성한 후 자신에게 작은 선물을 해주는 것은 성공을 축하하고, 성취를 기념하는 좋은 방법입니다. 또한, 보상은 지속적인 노력을 지원하고, 목표 달성을 위한 힘을 공급합니다 따라서 보상은 성공의 과정에서 필수적인 요소로 작용합니다.

보상은 성공을 지속하는 데 필수적인 역할을 합니다. 이는 다음과 같은 속성과 절차를 통해 구현됩니다.

동기 부여 제공: 보상은 성공을 달성한 후에 느끼는 긍정적인 감정을 강화시켜 미래의 성공에 대한 동기부여를 제공합니다. 이를 통해, 성공이라는 직접적인 결과를 통해 얻게 되는 보상은 우리가 향후에 더 큰 성취를 이루기 위한 원동력으로 작용하게 됩니다. 이러한 과정은 우리의 행동과 생각을 촉진시키며, 우리가 더욱 더 힘을 얻는 데 크게 도움이 됩니다.

긍정적인 감정 강화: 보상은 우리가 성공을 축하하고, 우리의 긍정적인 감정을 강화시킵니다. 성공을 경험한 후에 느끼는 자신감과 만족감이 증가하게 되어, 이는 우리가 더욱 더 많은 성취를 이루는데 도움이 됩니다. 이러한 감정의 강화는 우리가 더 큰 성공을 향해 나아가는 동기를 제공하며, 우리의 성장을 촉진합니다.

지속적인 노력 지원: 보상은 우리가 성공을 유지하고 지속하는데 필요한 힘을 제공합니다. 성공에 대한 보상은 우리의 지속적인 노력을 지원하며, 이를 통해 우리는 목표를 달성하기 위한 힘을 공급받게 되어, 성공을 지속하고 더 나아가 새로운 성공을 이루는데 도움이 됩니다. 이는 우리가 끊임없이 노력하고 성장하는 데 필요한 에너지를 공급하는 중요한 요소입니다.

성취를 기념하는 수단: 보상은 우리의 성공을 기념하고 축하하는 수단으로 작용합니다. 이는 목표를 달성한 후 자신에게 자랑스러운 느낌을 주어 성취를 기념하고 기억하는데 도움이 됩니다. 이를 통해 우리는 자신의 노력과 헌신을 인정받는 느낌을 가지게 되며, 이는 우리의 자신감과 만족감을 높이는 데 도움이 됩니다.

보상의 절차는 다음과 같이 진행됩니다.

목표 설정: 보상의 첫 단계는 목표를 설정하는 것입니다. 목표는 구체적이고 현실적이며 달성 가능한 것이어야 합니다. 이는 우리가 성공을 위해 노력하는 동안 우리의 행동을 안내하는 데 중요한 역할을 합니다. 목표 설정은 큰 그림을 보는 것이며, 이는 우리의 전체적인 노력의 방향을 결정합니다.

보상 기준 정의: 보상을 얻기 위한 기준을 정의합니다. 이는 목표를 달성했을 때 받을 보상에 대한 명확한 기준을 제시하는 것을 의미합니다. 이를 통해 우리는 우리의 성공을 측정하고 평가하는 데 도움이 됩니다. 이는 우리의 노력을 구조화하고, 우리가 어디에 집중해야 하는지를 명확하게 합니다.

보상 선택: 다양한 보상 옵션을 고려하고 선택합니다. 보상은 개인의 욕구와 성격에 맞게 선택되어야 하며, 성공을 축하하고 자신을 기쁘게 해줄 수 있는 것이어야 합니다. 이는 우리가 성공을 더욱 즐길 수 있게 도와줍니다. 이는 우리가 우리의 성공을 정말로 느끼고, 우리의 노력을 인정하게 해줍니다.

보상 실행: 목표를 달성한 후에는 보상을 즉시 실행합니다. 이는 성공을 축하하고 긍정적인 감정을 강화시키는데 도움이 됩니다. 보상을 통해 우리는 우리의 성공을 확신하고, 이를 통해 우리의 자신감을 높이게 됩니다. 이는 우리가 우리의 성공을 더욱 확실하게 느끼고, 그 성공을 우리의 일상생활에 가져가게 해줍니다.

보상 후 피드백: 보상을 받은 후에는 자신의 성취를 인정하고 긍정적인 피드백을 제공합니다. 이는 미래의 성공을 위한 자신의 자신감을 높이는데 도움이 됩니다. 이를 통해 우리는 우리의 성공을 축하하고, 그 성공을 바탕으로 더 큰 성공을 이루기 위해 다시 도전하는 데 도움이 됩니다. 이는 우리에게 전방에 대한 동기부여를 제공하며, 우리의 성공을 더욱 확신하게 해줍니다.

사례 분석: 효과적인 보상 방법

성공에 보상을 연결하는 것은 성공을 유지하고 지속하는 데 중요합니다. 그러나, 어떤 보상 방법이 효과적인지를 선택하는 것은 쉽지 않습니다. 사람들은 개인의 성향과 특성에 따라 다른 보상을 선호할 수 있습니다. 예를 들어, 어떤 사람은 자신에게 시간을 주는 것을 보상으로 생각하고, 또 다른 사람은 자신에게 작은 선물을 주는 것을 선호할 수 있습니다.

따라서 효과적인 보상 방법을 선택하려면 자신의 욕구와 성격을 고려해야 합니다. 성공을 지속하는 데는 보상을 계획하고 실행하는 것이 도움이 됩니다. 효과적인 보상 방법은 다양한 사례 분석을 통해 이해할 수 있습니다. 각 사례는 특정 보상 방법의 효과를 보여주며, 이를 통해 다양한 보상 방법이 성공을 유지하고 지속하는 데 어떻게 도움이 되는지를 파악할 수 있습니다.

자기 보상: 성공을 기념하고 자신을 격려하기 위해 자기 보상을 선택하는 사람들이 있습니다. 이는 작은 선물을 자신에게 주는 것에서부터, 스스로에게 특별한 활동을 계획하고 실행하는 것에 이르기까지 다양한 형태를 가질 수 있습니다. 이러한 보상은 자아를 인정하고 긍정적인 행동을 장려하는 데 중요한 역할을 합니다.

사회적 보상: 사람들로부터 받는 칭찬이나 지지는 매우 효과적인 보상 방법입니다. 성공을 공유하고 축하하는 것은 성취를 더욱 의미 있고 기억에 남는 경험으로 만들어 줍니다. 이는 사회적 연결성을 강화하고, 개인의 성공이 커뮤니티의 성공으로 인식되게 만드는 데 중요합니다.

실질적 보상: 목표 달성에 따른 실질적인 보상은 성공을 더욱 가치 있게 만들어 줍니다. 이는 목표를 달성한 후에 자신에게 주는 작은 선물이나 특별한 경험 등으로 나타날 수 있습니다. 이러한 보상은 성공의 가치를 높이고, 노력과 헌신이 물질적인 결과로 이어지는 것을 확인하는 데 도움이 됩니다.

자기 성장: 목표 달성을 통해 얻는 자기 성장과 성취감 또한 매우 중요한 보상입니다. 자신의 능력을 향상시키고 발전하는 것은 보상 중에서도 가장 의미 있는 것입니다. 이는 자신의 능력과 자아를 강화하고, 지속적인 성장과 발전을 위한 동기를 제공합니다.

정서적 보상: 사람들은 감정적으로 만족스러울 때 보상을 느낍니다. 예를 들어, 목표를 달성한 후에 행복한 느낌이나 성취감을 느끼는 것이 보상이 될 수 있습니다. 이러한 정서적 보상은 자신의 노력이 가치있었다는 느낌을 줄 수 있어 매우 중요합니다.

인간관계 보상: 친구나 가족과 보내는 특별한 시간을 보상으로 설정하는 것도 좋습니다. 예를 들어, 목표를 달성한 후 친구들과 함께 특별한 저녁 식사를 하는 등의 활동은 성공의 기쁨을 공유하고, 사랑하는 사람들과의 시간을 더욱 소중하게 만들어 줍니다.

여가 활동 보상: 자신이 즐기는 활동을 보상으로 설정하는 것도 훌륭한 방법입니다. 예를 들어, 책을 읽거나 영화를 보는 것, 취미 활동을 즐기는 것 등이 될 수 있습니다. 이러한 활동은 스트레스를 해소하고, 성공을 더욱 즐겁게 만들어 줍니다.

결론　　　　　　　　　　**오늘부터**
　　　　　　　　　　　　　　시작하라

이 책은 변화를 이끌어내는 시작과 작은 행동의 중요성을
강조하며, 꾸준한 노력과 행동이 성공의 핵심이라고
주장합니다. 미루는 습관을 극복하고 더 나은 미래를 향해
나아가는 동기부여를 제공합니다.

결심을 행동으로: 변화의 첫 걸음

우리의 일상생활에서는 종종 미루는 습관을 경험합니다. 그러나, 이 습관을 극복하는 것은 쉽지 않습니다. 한 가지 중요한 것은 이를 극복하기 위한 여정을 시작하는 것이며, 이는 오늘부터 시작할 수 있습니다. 이 변화의 여정은 몇 가지 중요한 단계를 거쳐 진행됩니다.

첫 번째로, 우리는 스스로의 목표와 원동력을 명확하게 정의해야 합니다. 이렇게 목표를 명확히 설정하면, 우리는 그 목표를 향해 행동하기 쉬워집니다. 예를 들어, '다이어트를 하겠다' 라는 목표는 구체적이지 않습니다. 그러나 '3개월 후에 5kg을 감량하겠다'는 목표는 명확하고, 이러한 명확한 목표는 우리가 그방향으로 행동하는 것을 돕습니다.

두 번째로, 우리는 습관의 근원을 파악하고, 그 근본적인 이유를 이해해야 합니다. 습관이 왜 생기는지, 왜 계속되는지를 이해하면, 그것을 극복하는 방법을 찾는 것이 수월해집니다. 예를 들어, 우리가 왜 운동을 미루는지를 생각해봅시다. 아마도 운동이 힘들고 지치기 때문일 수 있습니다. 그러나 운동 후에 기분이 좋아지고 건강에 좋다는 것을 알고 있다면, 이러한 긍정적인 효과를 생각하며 운동을 시작하는 것이 좋습니다.

세 번째로, 우리는 작은 변화부터 시작해야 합니다. 큰 목표를 달성하기 위해서는 많은 노력이 필요하고, 이러한 노력은 우리를 지치게 만들 수 있습니다. 그래서 작은 목표를 세우고, 그것을 달성하는 것부터 시작하는 것이 좋습니다. 이렇게 작은 변화가 누적되면, 결국은 큰 성공으로 이어질 것입니다.

네 번째로, 우리는 꾸준함과 인내심을 가지고 목표를 향해 나아가야 합니다. 변화는 하루 아침에 이루어지는 것이 아닙니다. 변화를 이루기 위해서는 꾸준한 노력이 필요합니다. 그래서 우리의 목표를 포기하지 않고, 지속적으로 노력해야 합니다.

마지막으로, 우리는 성취에 대한 보상을 설정해야 합니다. 우리가 무언가를 성취하면, 그것에 대한 보상을 통해 우리는 더욱 노력하게 됩니다. 예를 들어, 우리가 목표를 달성하면, 그것을 축하하는 시간을 가지는 것이 좋습니다.

이처럼, 몇 가지 단계를 거쳐 우리는 미루는 습관을 극복하고 행동하는 사람이 될 수 있습니다. 이 여정에서는 우리가 함께 노력하며 변화를 이루어 나가야 합니다. 함께라면, 어떤 어려움도 이겨낼 수 있을 것입니다. 지금 이 순간부터 우리의 변화의 시작이니, 함께해 주셔서 감사합니다.

꾸준함의 힘을 믿어라: 지속적인 성공

우리는 이미 미루는 습관을 극복하기 위한 준비를 마쳤습니다. 변화의 첫 걸음은 결심을 행동으로 옮기는 것입니다. 그러나 결심만으로는 충분하지 않습니다. 그 결심을 실제 행동으로 옮기는 것이 중요합니다. 우리는 목표를 명확히 설정해야 합니다. '3개월 후에 5kg을 감량하겠다'와 같이 구체적이고 명확한 목표를 설정하면, 그 목표를 향해 행동하기 쉬워집니다.

그러나 목표를 설정하는 것만으로는 충분하지 않습니다. 변화를 실현하기 위해선 계획을 세워야 합니다. 변화의 첫 걸음은 작은 변화부터 시작하는 것이 좋습니다. 복잡한 문제를 작은 부분으로 나누고, 이를 하나씩 해결해 나가는 방식입니다. 이렇게 작은 변화가 누적되면, 결국은 큰 성공으로 이어질 것입니다.

그리고 가장 중요한 것은 꾸준함입니다. 변화는 하루 아침에 이루어지는 것이 아니라, 지속적인 노력이 필요합니다. 꾸준함의 중요성을 인지하고, 일상적인 행동의 누적이 큰 성취로 이어질 것을 알고 있습니다. 그러므로 우리는 목표를 지속적으로 추구하며, 각 단계에서의 성공을 축하해 나가야 합니다. 목표를 향해 한 발씩 나아가는 것이 중요합니다.

이처럼, 변화는 결심에서 시작되어 계획을 통해 실현되고, 꾸준한 노력을 통해 이루어집니다. 사소한 변화가 모여 큰 변화를 만들어가는 것입니다. 이 과정에서 중요한 것은 자신을 격려하고 보상하는 것입니다. 변화의 과정은 쉽지 않습니다. 그러나 우리가 목표를 달성할 때마다 그것을 축하하고 자신을 보상함으로써, 우리는 더욱 노력하게 됩니다.

이 모든 과정은 우리가 함께 노력하며 변화를 이루어 나가야 합니다. 변화의 여정은 혼자서는 이루기 힘든 것입니다. 함께라면, 어떤 어려움도 이겨낼 수 있을 것입니다. 지금 이 순간부터 우리의 변화의 시작이니, 함께해 주셔서 감사합니다.

앞으로의 여정을 위한 격려: 독자에게 보내는 메시지

우리는 이 책을 통해 미루는 습관을 극복하고, 행동으로 나아가는 사람이 되기 위한 여정을 함께 나누었습니다. 이제는 새로운 여정이 시작됩니다. 앞으로의 여정에서는, 우리가 배운 교훈을 실질적으로 적용해, 더 나은 삶을 이루는 일인데요. 이 일은 어렵습니다. 우리에게는 어려움이 있지만, 포기하지 않고, 목표를 향해 꾸준히 나아가야 합니다.

"지금부터 시작하자"라는 말은 간단해 보이지만, 그 뒤에는 많은 의미가 있습니다. 차분히 생각해보면, 우리는 모두 변화의 주인공이 될 수 있습니다. 지금 이 순간부터, 우리는 새로운 성장과 성취를 경험하게 될 것입니다.

이런 변화를 만들어나가는 여정에서, 함께 응원하고 격려하는 것이 중요합니다. 우리 모두가 행복하고 성공적인 삶을 살도록 노력해야 합니다. 우리의 목표는, 함께 앞으로의 여정을 걸어가는 것입니다. 함께라면, 더 큰 변화를 이룰 수 있을 것입니다.

이런 과정에서, 중복이나 무질서한 설명을 찾아내어, 필요 없는 내용을 제거하고 부자연스러운 설명을 개선해야 합니다. 이렇게 하면, 충분히 이해할 수 있고, 쉽게 읽을 수 있는 내용이 됩니다.

결국, 이 모든 것은 함께 노력하며 변화를 이루어 나가야 하는 여정입니다. 변화의 여정은 혼자서는 이루기 힘든 것입니다. 함께라면, 어떤 어려움도 이겨낼 수 있을 것입니다. 지금 이 순간부터 우리의 변화의 시작이니, 함께해 주셔서 감사합니다.

작가 인사말 혜천(慧天) 이지해

안녕하세요, 이지해입니다. "미루기 탈출: 5초가 바꾸는 작은 습관 지금 시작하고 꾸준히 행동하라"라는 책으로 여러분을 맞이하기 위해 이 자리에 서게 되어 기쁩니다.

이 책은 여러분이 지금 당장 미루고 있는 습관을 극복하고, 새로운 행동의 시작을 돕는데 초점을 맞추고 있습니다. 이를 통해, 여러분은 작은 습관의 변화가 어떻게 큰 변화를 이끌어내는지, 그 과정에서 겪을 수 있는 어려움을 어떻게 극복하는지, 그리고 새로운 습관을 어떻게 지속적으로 유지하는지에 대한 깊은 이해를 얻을 수 있을 것입니다.

이 책은 미루기가 우리 삶에 미치는 부정적인 영향과 그 원인에 대해 설명함으로써 시작합니다. 그 다음으로는, 미루기를 극복하기 위한 실질적인 전략과 도구를 제시하고, 이러한 바뀐 행동이 어떻게 우리의 삶에 큰 변화를 가져올 수 있는지에 대해 탐구합니다.

이 책은 여러분이 자신의 목표를 달성하기 위한 구체적인 첫 걸음을 내딛도록 돕습니다. 미루는 습관을 극복하고 행동으로 나아가는 여정은 쉽지 않을 수 있지만, 이 책을 통해 여러분은 필요한 동기부여와 정보를 얻을 수 있을 것입니다.

각 장은 여러분이 실제로 적용할 수 있는 전략과 예시를 제공합니다. 이 책을 읽으면서, 여러분은 자신의 삶에서 미루기를 벗어나 행동하는 새로운 모습을 발견하게 될 것입니다. 이 책과 함께, 여러분은 미루기에서 벗어나 행동하는 새로운 자신을 발견할 수 있을 것입니다. 이제 같이 여정을 시작해볼까요?

    이 책을 읽으면서, 작은 변화가 얼마나 큰 영향을 끼칠 수 있는지 깨달았습니다. 작은 습관의 변화가 어떻게 우리의 삶을 바꿀 수 있는지를 보여주는 많은 사례들을 발견할 수 있었습니다. 이 책은 우리에게 미루는 습관을 극복하고 행동으로 나아가는 데 있어서 큰 영감을 주었습니다.

    특히, 이 책에서 강조하는 "5초의 법칙"은 매우 인상적이었습니다. 단순히 5초라는 짧은 시간이 우리의 행동을 바꿀 수 있다는 것에 대해 생각해보니, 더 이상 변화를 기다리지 않고 지금 당장 행동으로 옮겨야 한다는 결심을 내렸습니다. 이 책은 우리가 자신의 목표를 달성하기 위해 작은 변화부터 시작해야 한다는 것을 상기시켜줍니다.

    이 책은 또한 미루기를 극복하고 행동으로 나아가는 과정에서 우리가 어떻게 자신의 리더십을 개발하고 발전시킬 수 있는지에 대해 다루고 있습니다. 우리는 이를 통해 자신의 리더십을 향상시키고, 조직 내에서 더 큰 영향력을 발휘할 수 있게 될 것입니다.

    그리고 이 책을 통해 우리는 작은 변화가 어떻게 큰 성취로 이어질 수 있는지를 알게 되었고, 우리의 삶에 적용하여 더 나은 미래를 만들어 나갈 준비가 되었습니다. 우리는 이 책을 통해 꿈을 이루어 나가는 데 필요한 동기부여와 자극을 받았습니다.

    따라서, 이 책은 우리의 삶에 큰 변화를 가져오는 데 중요한 역할을 하게 될 것입니다. 함께 이 책을 통해 우리의 미래를 바꾸고, 꾸준한 행동으로 우리의 꿈을 이루어 나가 봅시다. 우리는 이 책을 통해 자신의 목표와 꿈을 이루는 데 필요한 도구와 전략을 배웠습니다. 함께 나아가요!

미루기 습관 탈출: 5초가 바꾸는 작은 습관 지금 시작하고 꾸준히 행동하라.